目次

神様 7
夏休み 19
花野 37
河童玉 59
クリスマス 77

星の光は昔の光　101
春立つ　125
離さない　149
草上の昼食　173
あとがき　193
解　説　佐野洋子　195

神様

神様

くまにさそわれて散歩に出る。川原に行くのである。歩いて二十分ほどのところにある川原である。春先に、鴫《しぎ》を見るために、行ったことはあったが、暑い季節にこうして弁当まで持っていくのは初めてである。散歩というよりハイキングといったほうがいいかもしれない。

くまは、雄の成熟したくまで、だからとても大きい。三つ隣の305号室に、つい最近越してきた。ちかごろの引越しには珍しく、引越し蕎麦を同じ階の住人にふるまい、葉書を十枚ずつ渡してまわっていた。ずいぶんな気の遣いようだと思ったが、くまであるから、やはりいろいろとまわりに対する配慮が必要なのだろう。

ところでその蕎麦を受け取ったときの会話で、くまとわたしとは満更赤の他人というわけでもないことがわかったのである。

表札を見たくまが、

「もしや某町のご出身では」

と訊ねる。確かに、と答えると、以前くまがたいへん世話になった某君の叔父という人が町の役場助役であったという。その助役の名字がわたしのものと同じであり、たどってみると、どうやら助役はわたしの父のまたいとこに当たるらしいのである。あるか無しかわからぬような繋がりであるが、くまはたいそう感慨深げに「縁《えにし》」というような種類の言葉を駆使していろいろと述べた。どうも引越しの挨拶の仕方といい、この喋り方といい、昔気質《かたぎ》のくまらしいのではあった。

そのくまと、散歩のようなハイキングのようなことをしている。動物には詳しくないので、ツキノワグマなのか、ヒグマなのか、はたまたマレーグマなのかは、わからない。面と向かって訊ねるのも失礼である気がする。名前もわからない。なんと呼びかければいいのかと質問してみたのであるが、近隣にくまが一匹もいないことを確認してから、

「今のところ名はありませんし、僕しかくまがいないのなら今後も名をなのる必要が

ないわけですね。呼びかけの言葉としては、貴方《あなた》、が好きですが、ええ、漢字の貴方です、口に出すときに、ひらがなではなく漢字を思い浮かべてくださればいいんですが、まあ、どうぞご自由に何とでもお呼びください」

との答えである。どうもやはり少々大時代なくまである。大時代なうえに理屈を好むとみた。

川原までの道は水田に沿っている。舗装された道で、時おり車が通る。どの車もわたしたちの手前でスピードを落とし、徐行しながら大きくよけていく。すれちがう人影はない。たいへん暑い。田で働く人も見えない。くまの足がアスファルトを踏む、かすかなしゃりしゃりという音だけが規則正しく響く。

暑くない？　と訊ねると、くまは、

「暑くないけれど長くアスファルトの道を歩くと少し疲れます」

と答えた。

「川原まではそう遠くないから大丈夫、ご心配くださってありがとう」

続けて言う。さらには、

「もしあなたが暑いのなら国道に出てレストハウスにでも入りますか」

などと、細かく気を配ってくれる。わたしは帽子をかぶっていたし暑さには強いほうなので断ったが、もしかするとくま自身が一服したかったのかもしれない。しばらく無言で歩いた。

遠くに聞こえはじめた水の音がやがて高くなり、わたしたちは川原に到着した。たくさんの人が泳いだり釣りをしたりしている。荷物を下ろし、タオルで汗をぬぐった。くまは舌を出して少しあえいでいる。そうやって立っていると、男性二人子供一人の三人連れが、そばに寄ってきた。どれも海水着をつけている。男の片方はサングラスをかけ、もう片方はシュノーケルを首からぶらさげていた。

「お父さん、くまだよ」

子供が大きな声で言った。

「そうだ、よくわかったな」

シュノーケルが答える。

「くまだよ」

「そうだ、くまだ」

「ねえねえくまだよ」

　何回かこれが繰り返された。シュノーケルはわたしの表情をちらりとうかがったが、くまの顔を正面から見ようとはしない。サングラスの方は何も言わずにただ立っている。子供はくまの毛を引っ張ったり、蹴りつけたりしていたが、最後に「パーンチ」と叫んでくまの腹のあたりにこぶしをぶつけてから、走って行ってしまった。男二人はぶらぶらと後を追う。

「いやはや」

　しばらくしてからくまが言った。

「小さい人は邪気がないですなあ」

　わたしは無言でいた。

「そりゃいろいろな人間がいますから。でも、子供さんはみんな無邪気ですよ」

　そう言うと、わたしが答える前に急いで川のふちへ歩いていってしまった。

　小さな細い魚がすいすい泳いでいる。水の冷気がほてった顔に心地よい。よく見ると魚は一定の幅の中で上流へ泳ぎまた下流へ泳ぐ。細長い四角の辺をたどっているように見える。その四角が魚の縄張りなのだろう。くまも、じっと水の中を見ている。何を見ているのか。くまの目にも水の中は人間と同じに見えているのであろうか。

突然水しぶきがあがり、くまが水の中にざぶざぶ入っていった。川の中ほどで立ち止まると右掌をさっと水にくぐらせ、魚を摑み上げた。岸辺を泳ぐ細長い魚の三倍はありそうなものだ。

「驚いたでしょう」

戻ってきたくまが言った。

「おことわりしてから行けばよかったのですが、つい足が先に出てしまいまして。大きいでしょう」

くまは、魚をわたしの目の前にかざした。魚のひれが陽を受けてきらきら光る。釣りをしている人たちがこちらを指さして何か話している。くまはかなり得意そうだ。

「さしあげましょう。今日の記念に」

そう言うと、くまは担いできた袋の口を開けた。取り出した布の包みの中からは、小さなナイフとまな板が出てきた。くまは器用にナイフを使って魚を開くと、これもかねて用意してあったらしい粗塩をぱっぱと振りかけ、広げた葉の上に魚を置いた。

「何回か引っくり返せば、帰る頃にはちょうどいい干物になっています」

何から何まで行き届いたくまである。

わたしたちは、草の上に座って川を見ながら弁当を食べた。くまは、フランスパンのところどころに切れ目を入れてパテとラディッシュをはさんだもの、わたしは梅干し入りのおむすび、食後には各自オレンジを一個ずつ。ゆっくりと食べおわると、くまは、

「もしよろしければオレンジの皮をいただけますか」

と言い、受け取ると、わたしに背を向けて、いそいで皮を食べた。

少し離れたところに置いてある魚を引っくり返しに行き、ナイフとまな板とコップを流れで丁寧に洗い、それを拭き終えると、くまは袋から大きいタオルを取り出し、わたしに手渡した。

「昼寝をするときにお使いください。僕はそのへんをちょっと歩いてきます。もしよかったらその前に子守歌を歌ってさしあげましょうか」

真面目に訊く。

子守歌なしでも眠れそうだとわたしが答えると、くまはがっかりした表情になった

が、すぐに上流の方へ歩み去った。

目を覚ますと、木の影が長くなっており、横にくまが寝ていた。タオルはかけていない。小さくいびきをかいている。川原には、もう数名の人しか残っていない。みな、釣りをする人である。くまにタオルをかけてから、干し魚を引っくり返しにいくと、魚は三匹に増えていた。

「いい散歩でした」

くまは305号室の前で、袋から鍵を取り出しながら言った。

「またこのような機会を持ちたいものですな」

わたしも頷いた。それから、干し魚やそのほかの礼を言うと、くまは大きく手を振って、

「とんでもない」

と答えるのだった。

「では」

と立ち去ろうとすると、くまが、

「あの」

と言う。次の言葉を待ってくまを見上げるが、もじもじして黙っている。ほんとうに大きなくまである。その大きなくまが、喉の奥で「ウルル」というような音をたてながら恥ずかしそうにしている。言葉を喋る時には人間と同じ発声法なのであるが、こうして言葉にならない声を出すときや笑うときは、やはりくま本来の発声なのである。


「抱擁を交わしていただけますか」

くまは言った。

「親しい人と別れるときの故郷の習慣なのです。もしお嫌ならもちろんいいのですが」

わたしは承知した。

くまは一歩前に出ると、両腕を大きく広げ、その腕をわたしの肩にまわし、頬をわたしの頬にこすりつけた。くまの匂いがする。反対の頬も同じようにこすりつけると、もう一度腕に力を入れてわたしの肩を抱いた。思ったよりもくまの体は冷たかった。

「今日はほんとうに楽しかったです。遠くへ旅行して帰ってきたような気持ちです。

熊の神様のお恵みがあなたの上にも降り注ぎますように。それから干し魚はあまりもちませんから、今夜のうちに召し上がるほうがいいと思います」

部屋に戻って魚を焼き、風呂に入り、眠る前に少し日記を書いた。熊の神とはどのようなものか、想像してみたが、見当がつかなかった。悪くない一日だった。

夏休み

原田さんの畑で梨をもいでいると、足もとを小さなものが走りまわった。

「あれっ、出たか」原田さんが言うので気がついたのである。白い毛が生えている。

三匹いる。

「ときどき出るんだよ」原田さんは言って、出荷用にならないくず梨を地面に置いた。

三匹のうち二匹がやってきて、齧《かじ》りついた。どれも梨の倍くらいの大きさである。二匹は、ざくざく梨を齧りとっていく。しかし三匹めはいつまでたっても動かなかった。

「ほれ」原田さんは木から梨をもいで、三匹めの前に置いた。三匹めはそれでもじっとしていた。震えている。

じきに原田さんは出荷用の箱を取りに行った。梨の選別をしながら見ていると、かぶりついた二匹は見る間にくず梨をたいらげて、原田さんが木からもいだ梨に取りかかる。三匹めはまだ震えていた。動こうとしない。

「こいつ、だめ」という声がして、驚いた。活発に翻っている二匹のうちの片方が、声を発したのだった。

「こいつだめ」「なかなかだめ」「梨おいしいのに」「梨大きいのに」

そんなことを、甲高い声で喋る。

原田さんが箱をかかえて戻ってきたので、聞いてみた。

「たまに出るの。なんだか知らないけど、梨につきものみたいよ。じきに消えちゃうからほっとけばいいよ」そう答える。

喋るんですよ、とわたしが言うと、原田さんは面倒くさそうに頷いた。

「喋るけど、それだけだよ」そう言って、選別した梨を箱に詰めはじめた。

一日の作業が終わってから、まだ足もとをうろうろしている三匹のうちの一匹を掌に載せてみた。あたたかい。疲れた掌が伸びていくような感じがする。持って帰ってもいいですかと聞くと、原田さんは目を丸くした。

「どうするつもり」

別に、ただなんとなく。答えると、原田さんは肩をすくめたが、それ以上何も言わなかった。梨を食べようとしない一匹を掌で包んで、部屋まで歩いた。あとの二匹は跳ねながら後をついてきた。

夕食の残りをやっても食べないので、また梨をやった。勢いよく梨に取りつく。皮ごと食べる。こんどは三匹めも梨に齧りついた。三匹とも、ものすごい速さで梨を削っていく。あっという間に六個の梨が食い尽くされた。

「梨」「梨もっと」「もっともっと」

活発な方の二匹が騒ぐので、さらに梨を置いた。引っこみ思案な一匹は、もう食べようとしない。食いちらすさまを見ながら、湿布を背中に貼った。原田さんの梨畑で働きはじめてから、十日ほどが過ぎた。

このところ、夜になると何かがずれるようになったのである。何がずれるのか、時間がずれていくような気もしたし、空気がずれていくような気もしたし、音がずれていくような気もしたし、全部ひっくるめてずれていくのかもしれなかった。それで、昼間梨畑で働かせてもらうことにした。

手をさし出すと、引っこみ思案の一匹が登ってきた。肩まで来て、首すじをさわった。白い毛の生えた小さな手でさわった。さわりながら、喋りはじめた。

「ぼくだめなのよ」息が首すじに当たる。

「ぼくいろいろだめなの」そう言って、からだを縮こまらせる。

何がだめなの。聞くと、ぺらぺら説明しはじめた。喋りはじめると思いがけず饒舌なのだった。

「だって梨食べちゃうと梨なくなっちゃうのがだめなのよ」「動くとぼくが減っちゃうのがだめ」「時間がきてまっくらになっちゃうのがだめ」「もっと時間がたつと明るく変わるのもだめ」「ぼくが入ってもぼくが抜けてもその場所が変わっちゃうのがだめ」

いろいろと熱心に説明するのであった。

活発な二匹は追加の梨をきれいにたいらげて、床にあおむけに寝そべった。そのうちにぐうぐう鼾《いびき》をかきはじめる。ねむくないの、と、起きている一匹に聞くと、首を横に振った。

「ここで起きてていい？　いつまでもここで起きてていい？」そう言う。いいよいいよと答えると、肩から下りて机の上にちんと座った。食事のあとかたづけをする様子を眺めている。

食器を洗い終えてから見ると、眠っていた。あとの二匹よりよほど大きい鼾をかいて、ぐっすりと眠っていた。

翌朝梨畑に行く支度をしていると、三匹は玄関の方へ走っていった。暑くなりそうだった。玄関の扉を開けると、われがちに飛び出した。こうして三匹まとまっていると、どれが引っこみ思案の一匹なのか、区別がつかない。汗をふきながら、わたしは梨畑まで歩いた。三匹は足もとを先になり後になりしてついてくる。小さな高い声で何やら喋りあっているが、よく聞きとれない。

一日梨をもいだ。原田さんは午後からやってきて、薬を撒いた。三匹は薬を撒く間梨の幹に登って、原田さんの手もとなぞをじっと見ている。

「どうだったね」原田さんが聞いた。

「持って帰って、なんかあったかね、そいつら」

ただ梨を食べて眠っただけです、そう言うと、原田さんは笑った。

「今日はもう置いてったら」原田さんが言ったとたんに、三匹はきいきい騒ぎ始めた。

「やだ」「やだやだ」「帰る」「家帰る」「家で眠る」

原田さんはまた笑った。

「すっかりその気になられちゃったじゃないの」そう言いながら、ホースに取りつけた真鍮の棒の先から薬を地面に撒いた。蟬が激しく鳴いている。原田さんは首にかけた手拭いで汗をふいた。

この三匹、何なんですか、そう原田さんに聞こうと思ったが、三匹を目の前に聞くことはためらわれた。原田さんは薬を撒き終えると、水道の蛇口の下に頭を突きだし、頭から水をかぶった。掌に何杯も水をすくって、ごくごく飲んだ。じきに夕方になる。こうもりが低いところを飛んでいた。三匹は、こうもりに向かって意味のわからないことを叫んでいる。じだんだを踏んだりしている。

作業が終わると、原田さんはいつもよりたくさんくず梨をくれた。これも食べるといいよ、そう言って、とうもろこしと茄子もくれた。

部屋に帰り三匹に梨をやった。原田さんにもらったとうもろこしをゆでてやってみたが、梨以外は食べない。活発な二匹は昨日よりも慣れた様子で、戸棚に駆けのぼったり電話をとって耳につけたりしていたが、やがてことんと床の上で眠った。引っこみ思案の一匹は目を大きく開いて机の上に座っている。

ゆうべはけっこう鼾かいてたよ、とわたしが言うと、怒った顔になった。「そんなこと恥ずかしいから言わないで」「鼾のことはいいよ」「いいよ」何回でも、いいよいいよと怒る。少しうっとうしくなった。夜が遅くなるにつれて、ずれる感じがやってきた。梨畑で働きはじめてから寝つきがよくなっていたのに、三匹が来たおかげで興奮しているのだろうか、眠ることができず、いつもよりひどいずれがやって来る心もちになっていた。これはいけないと食器をみがいたりしたが、やり過ごせないようだった。外に出て、梨畑まで歩くことにした。

起きている一匹がついて来る気配を感じた。暗いのとずれるのとで、実際にそこに一匹がいるのかどうか、よくわからない。速く歩いた。空気は昼の熱気を残して、なまぬるい。夜の中で、自分の影がいくつも重なってくるような感じだった。

畑に着いて、土を掘った。暗さに少し慣れて、一匹がついてきているのがはっきりと見えた。月の光が白い毛を照らしていた。鍬を振りおろすたびに、一匹は、びく、と身を小さくした。

えい、と力をこめて土を掘った。えい、えい、と力をこめて掘った。

「どうしてそんなに掘るの」しばらくしてから一匹が言った。何も答えずに掘りつづけると、また同じことを聞く。黙っていると、何回でも聞く。あまり何回も聞くので、あっち行け、と怒鳴った。

「あ」という口のかたちをして一匹は見上げ、それから身を翻して、夜の中に消えた。

翌日もその翌日も、引っこみ思案の一匹は帰って来なかった。梨畑でわたしはいつもよりも熱心に働いた。残った二匹は、毎日梨の木の間をくるくると走りまわった。日が暮れて仕事が終わると、二匹と一緒に部屋に帰った。二匹はあいかわらずどっさり梨を食べた。もう一匹はどうしてるんだろうね、と話しかけると、二匹は無頓着に答えた。

「さあ」「さあね」「そのうち帰るよ」「帰る帰る」「どっかで泣いてるかも」「泣いてるかも」

三日たっても四日たっても、一匹は帰らなかった。ますます熱心に働くので、原田さんは日給を多くしてくれた。

「もう少しゆっくりしていいんだよ。植物は同じ速さでしか育たないんだよ」などと言いながら、日給を千円増やしてくれた。

「そういえば二匹しかいないじゃない」原田さんが言うので、わたしは下を向いた。下を向けば、活発な二匹が走りまわっている。原田さんはそれ以上聞かなかった。

「一日くらい休んだら」

休まないでいいです、休むと梨も手に入らないし。答えると、原田さんは、「すっかり保護者だね」と言って、笑った。二匹はものすごい速さで走りまわっていた。

真夜中に、突然目が覚めた。胸が重苦しかった。カーテンの隙間から月の光が射しこんでいる。二匹は床に寝そべっていた。部屋の中のものの輪郭がいやにはっきりしている。電気の傘や梨の入った籠や机の上の空瓶が、輪郭だけになったように見える。胸がひどく重い。

心臓のあたりに手を当てようとしてさわると、そこに何かがいた。飛び起きると、いなくなっていた一匹らしいのが胸から跳ね下りた。

え、とわたしが声を出すと、一匹は枕にかじりついた。

「ただいま」「帰ったよ」「怒ってる？」「まだ怒ってる？」

そっと抱き上げて、小さな顔に頬ずりしてみた。一匹はおとなしく頬ずりされている。生えている白い毛が触れて、くすぐったい。

「怒ってないのね」「よかった」「ごめんなさい」「ごめんなさい」

何回でも、ごめんなさいを繰り返す。ぜんぜん怒ってないよ、と答えると、はこべの葉くらいの大きさの指でこちらの頬をぽんぽんと叩く。こっちこそごめん、わたしが言うと、もう少し強く叩く。

「ちょっと悲しかったよ」「ちょっと泣いてたよ」

言いながら、しきりに叩く。叩くにまかせていると、だんだん遠慮のない強さになってきた。痛いよ、と言うと、叩くのをやめてささやいた。

「おなかすいたよ」「梨ちょうだい」「梨」「梨」

梨の籠を指さすと、ひと飛びで籠に取りつき、勢いよく梨を食いちらかしはじめた。

「そろそろ」と原田さんが切り出したのは、八月が終わる頃だった。

「最盛期は終わるんでね、わし一人で足りるさ。苺の時節までは少し間があるよ」

原田さんは梨の幹に寄りかかって、煙草をふかした。走りまわる三匹を、目を細めて見ている。

「まだ生きてるかね」と原田さんは言った。わたしがはじかれたように顔をあげると、反対に原田さんが驚いた表情になった。

「あれ、言わなかったっけか。シーズンが終わると消えるんだよ、これ」

昼間なのに、ずれるような気がした。立っている自分から、そっくり同じ大きさの自分がひょいと出て、そのままどこかに歩いていってしまいそうな気がした。

「だからさ、虫みたいなもんなんだって。かぶと虫、飼ったことなかった？　夏が終わると死んじゃうでしょ。それと同じ」

空き缶のふちで煙草をもみ消しながら、原田さんは走っている一匹を軽く蹴った。蹴られて、一匹はぽんと跳ねた。それが面白かったらしく、自らぽんと飛び上がった。ほかの二匹も真似してぽんぽん飛び上がる。

「気にすることないよ、そういうものなんだから」そう言って、原田さんは出荷用の梨の箱から、特に大きくて汁のたっぷりありそうなのを十個ほどより出してくれた。

「あげるよ。よかったらまた働きにきてね。助かったよ」

最後の日給をもらって、帰った。部屋に着いて封筒を開けると、いつもより三千円多く入っていた。梨を床に置くと、三匹はわらわらと走り寄った。汁を毛にちらしながら、三匹はもりもり梨を食った。

夜、激しいずれがやってきた。いつものような微妙なずれではなく、昼間原田さんのところで感じたような、ひどいずれだった。空気や地軸がずれる感じではなく、からだ全体がすっぽり抜けてしまうようなずれだった。

抜けて、からだの横に立ってしまった。寝ているからだのまわりを、三匹が跳ねまわっていた。早い時間に鼾をかいて寝ついた三匹のはずだったが、真夜中に、元気に跳ねまわっていた。

「行こ」「行こ行こ」「梨畑」「梨畑梨畑」

くちぐちに言って、そこに横たわっているからだを揺すっている。

もう出てしまったよ、ここに立っているよ、声をかけると、三匹そろって見上げた。

「出たね」「出た出た」「行こ」「行こ行こ」

三匹いっぺんに足によじのぼってくる。ドアを指し示す。横たわっている自分のからだを残したまま、三匹を肩に乗せて外に出た。夏の空気が、からだの横を重くゆっくりと流れていく。梨の木が等間隔で夜の中に立っていた。

「行こ」「行こ」「早く早く」

活発な二匹がいっぺんに地面に飛び下りた。二匹はすばやく梨の木に登って、いちばん高いところに取りつき、じっとした。引っこみ思案の一匹は、まだ肩に乗っている。行かないの、と聞くと、首を横に振った。

「ぼくだめなの」「こわいの」「こわい」「だめ」

木に取りついた二匹は、木守りの梨を齧りはじめた。いつものようにがつがつ食うのではなく、静かに味わうように齧っていた。肩に残っている一匹に向かって、行かないの、ともう一度聞いた。

「だめ」「ぼくだめだよ」「ぼくがぼくじゃなくなっちゃうのがだめなのよ」

だめなのなら、部屋に戻ろうか、そう言うと、黙った。

戻らないの？　聞くと、今度は首を縦に振った。

じゃあどうするの。

答えない。活発な二匹は、木守りの梨をすっかり食べ終えていた。幹にぴったりとついた二匹の姿は、梨の木にできた白い瘤のように見えた。

からだが軽かった。先ほどよりもますます軽くなっていた。油断していると、真空に引きこまれるように、どこか知らない場所に引きこまれて戻れなくなってしまいそうな感じだった。肩の一匹は震えている。最初に見たときと同じように、震えている。震えが伝わる部分があたたまって、ゆるんでくる。肩から胸から腹から腕から足まで、次第にゆるみはじめる。湯に入っているようだった。

「奥の木まで一緒に行って」

一匹が言うので、肩にのせたまま歩いていった。一匹は僅かにためらったのち、肩から幹に飛びうつり、急いで木守りの梨を食べはじめた。先の二匹に追いつこうとするように、急いでがつがつ梨を食べた。いつもと同じように、何も考えていない顔で食べた。

「まだぼくだめだよ」食べおわると、こちらを向いて、言った。

だめなのなら、ふたたび言いかけて、やめた。だめなのは、自分も同じだった。よその生き物に、だめなのなら、などとは言えなかった。

「だめだけど、行くね」五分ほどの沈黙の後に、一匹はいやに真面目な表情で言った。

ちまちまとした口や鼻や目が、月の光に輝いていた。

もう行くのかと、心細くなった。取り残されることがひどく心細かった。行かないで、と口走りそうになった。

「じゃあね」そう言うと、一匹は静かに目を閉じた。それから見る間に瘤になってしまった。梨の木の白い瘤になってしまった。瘤をさわってみたが、もう動かなかった。

ああ瘤になってしまったと思いながらさわっていると、ますますからだが軽くなって、瘤の中に吸いこまれるような心もちになった。

吸いこまれる。そう思った。連れていかれる。

その瞬間、反射的に瘤を叩いていた。瘤から身を遠ざけようとしていた。行こうよ、という一匹の声が聞こえたような気がしたが、いやだいやだと叫んでいた。叫んだとたんに、からだは重さというものをなくして、凄い速さで部屋に飛んで帰った。

部屋で寝息をたてているからだに戻った。

汗をびっしょりかいていた。

翌日わたしは原田さんを訪ねた。いつもの野良着ではなく、町に行くような服装で訪ねた。原田さんは「おっ」というような声を出して、茶をふるまってくれた。

雇ってもらった礼と、他の仕事を探すつもりであることを告げて、茶を飲んだ。

「もうすぐ二百十日だね」原田さんは煙草を吸いながら、空を見上げた。

「いっぱい遊んでた子供が見えなくなったと思ったら、宿題でもしているのかねえ。夏休みじゅうためた宿題、最後の方でまとめてしているのかねえ」

原田さんはそんなことを言って、しきりに空を眺めている。

帰りがけに梨畑を通ったが、どの木に白い瘤がついているのか、もうわからなくなっていた。

いろいろありがとう、と口の中でつぶやいて、わたしは梨の木の一本をとんとん叩いた。走りまわる三匹が視界をよぎったような気がしてふり向いたが、何もいなかった。小さなとんぼが、低いところをすいすい飛んでいる。もう一度だけ、梨の木を撫でてから、わたしは歩きはじめた。

花野

すすきやかるかやの繁る秋の野原を歩いていると、背中から声をかけられた。この時刻でこの場所ならばたぶんそうだと思っていたが、振り向くと、やはり叔父が立っていた。

五年前に死んだ叔父である。

「ひさしぶりだね」と言いながら、わたしに向かって饅頭を一個さしだす。ありがとう、と言って叔父から実体を持たない饅頭を受けとる。

「元気だったか？」と聞かれ、まあ、と答える。ここまでがいつものやりとりである。

「あれは？」あれとは、叔父の一人娘でありわたしには従姉にあたる華子さんのことだ。

元気みたいですよ。

「まだ独身か？」

わたしもそうだ、と言ってみるが、叔父はせっかちに顔をくもらせるばかりだった。

「万里子は？」叔母である。

元気みたいですよ。猫が死んだので少しがっかりしていましたが、もういいようです。

「猫？　クロか」頷くと、叔父は、

「知らなかったなあ」と言った。

「そうか、クロは死んだか。そうか」しきりに感心している。クロは十五歳だった。

「華子が二十歳のときに生まれたんだったな。すると華子は三十五歳か」叔父は眉を寄せて嘆息した。


叔父は交通事故で死んだのである。出張先で取引相手に接待を受け、次の店に行こうとして乗ったタクシーが居眠り運転のトラックに正面衝突されて、即死した。タクシーに乗っていた叔父、運転手、取引先二人、すべて即死だった。トラックの運転手も二日後に死んだ。

「誰も残らなくてかえってよかった」最初に出てきたときに、叔父は言った。

「補償やら裁判やら話が面倒にならなくてよかったよ」補償金を払う立場にあったトラックの運転手は個人営業で、係累もまったくなかったため、支払いの義務は誰のところにもまわってゆかなかったのである。

「残された家族？　まあじき忘れるよ。生命保険もしっかりみんな入っていたし。忘れてくれたほうがありがたい」叔父はゆるいズボンをはき、くたびれたセーターを着ていた。いつも家でくつろぐときにつけていたものなのだろう。

忘れてくれたほうがありがたい、と叔父が言ったとたんに、セーターの色がみるみるうちに薄くなり、それと共に顔や手の粒子が粗くなったかと思うと、叔父の姿はぷつんと消えた。叔父のいた場所は、叔父のかたちを鋏で切りとったように空白となり、一瞬後にはもとのように秋草の繁る花野に戻った。しばらく待ったが、叔父は戻らなかった。

次に叔父が出てきたのは半年後だった。

「消えただろう」半年後に出てきたときに、まっ先に叔父は言ったのだった。

「どうも、思ってないことを言うと、還るらしい。あっちに還りたければ嘘を言えばいいわけだな、うん」

還る、とは、つまりこの世からこの世でないどこかに行くことを指すらしい。叔父は前回と同じセーターを着ていた。春も終わりに近かったので、少々暑苦しそうに見えたが、もちろん本人は何も感じていないのだろう。

「ところで相撲はどんな様子かな」叔父の趣味は相撲観戦だった。叔父の贔屓《ひいき》の横綱が引退したことを話すと、叔父は「そうか」と言ってしゃがみこんだ。ハルジョオンが風にそよいでいた。しゃがんだまま叔父はわたしを見上げた。

「私の家族はつつがないかな」子供のような目をして聞く。

棺の中に横たわっていた叔父の顔を思い出した。白く、小さく、薄く見えた。寝ている人間の顔は広がって見えるのに、死んだ人間の顔は縮んで見えることが不思議だった。

たぶん、とわたしが答えると、叔父は立ち上がった。

「ハワイがいつ発見されたか知ってるかね」突然訊ねる。

ハワイ？

「キャプテン・クックによってハワイが発見されたのは一七七八年」

はあ、と答えると、叔父はどんどん続けた。

「三年後、ハーシェルによって天王星が発見される」

はあ。

「それでは、ニュートンによって運動の法則と万有引力が発見されたのはいつだか知ってるかな」

いいえ。

「ハワイが発見される約百年前、一六八四年だ」

ああ。

「それでは、デカルトによって運動量の保存が唱えられたのはいつか」

ええと。

「さらに半世紀前。一六二〇年。オーストラリア西海岸の発見はその四年前、一六一六年のことだ」

ははあ。

叔父は微妙な表情をしている。怒っているのでもない、悲しんでいるのでもない、笑っているのでもない、とらえがたい表情である。キャプテン・クックが遥か遠くにハワイの海岸線を見晴るかした瞬間や、ニュートンが最初に万有引力の存在に思いをはせたときには、もしかしたらこのような顔をしたかもしれぬような表情である。

「どう思う？」

え。

「何か思わないか」

ええと。

「気がつかないか、まるで秩序ってものがないじゃないか」

ああと。

「オーストラリア。運動量の保存。半世紀おいて万有引力。さらに一世紀おいてつづけさまにハワイと天王星。おかしくないか、なんだか」

そうですか。言われてみればそうかもしれません。

「ハワイが発見されるよりも百五十年も前に運動量の保存が唱えられているってのは、どう考えても不自然だ」

そうですすねえ。

「しかしだな。そもそも発見するということは、もともとあったものを見いだすということなのだから、世界の片隅に埋もれているものを掘り出す可能性なんてものは、どんな事象についても同じだけの確率しかないわけで」

はあはあ。

「この不自然さは当然のことであって」

ええええ。

「とはいえものごとには玉突き効果というものもあり」ここで急に叔父は黙った。相槌を打とうと待ち構えていたわたしは、はあ、の、はの字をあわててのみこんだ。叔父は眉をしかめて、しゃがみこんだ。

「ばかばかしいな」しきりに頭を振っている。

「なぜ私は死んだ後まで君らの世界の秩序について考えなきゃならんのだ」言ってから、むっつりとする。

「やめたやめた、もうやめた」

遠くで犬が吠えた。散歩の途中の犬だろうか、それとも庭に繋がれた犬だろうか。

「で、君はまだ結婚しないのか」叔父は悲しそうに言った。

残念ながら。叔父にあわせてわたしもできるだけ悲しそうな表情をつくって答える。

「結婚以外のことを掘り出すのに忙しいのかな」叔父はますます悲しそうに聞く。

そうかもしれません。わたしもますます悲しそうに言う。

「秩序がないよ、君の人生も」

そうですか。でもそれは余計な。次に、お世話、と続けようとして叔父を見ると、色が薄くなっていくところだった。

「ああ」薄くなりながら叔父は言った。

「また私は思ってもいないことを言ったな」言いながら、ぷつんと消えた。叔父が消えたのと同時に犬の声もとぎれた。五分待って叔父が出てこないことを確かめてから、部屋に帰った。


「まあ、饅頭でもどうかね」三回目に出たときに、叔父は初めて饅頭を持ってきたのだ。それ以来いつも饅頭を持って出るようになった。

「ちかごろの葬式は饅頭なんか配らんだろう」そう言いながら、わたしのてのひらに饅頭をのせる。饅頭に重さはなかった。指で触れようとすると、指は饅頭を通り抜けた。

「葬式饅頭は皮がうまい」叔父は饅頭を通り抜けたわたしの指を非難がましい目つきで眺めながら、言った。

「そもそも饅頭というものは、皮で善し悪しが決まる」

背の低い萩が花を咲かせていた。白い萩である。叔父は萩に手を触れた。わたしの手が叔父のくれた饅頭をすり抜けたのと同じく、叔父の手もそこにある萩をすり抜けた。

「古くなった葬式饅頭は、焼いて食べるとまたひとしおなんだなあ」そんなことを言いながら、空を見上げる。赤とんぼが十数匹、飛びまわっていた。

「なあ」叔父は少し小さめの声で言った。

「気にするな、この前言ったこと、あれは嘘だ」わたしの肩に手をかける。やはり重さはない。

「秩序のない人生だなんて言って、悪かった。やつあたりしてたんだきっと」

気にしてませんよ。だいいち、消えたんだから、あれは思ってないことだってすぐにわかりましたよ。そう答えると、叔父はわたしの肩に今度は両手をかけた。

「生き返りたいね」かわいた声で言う。

「生き返って、秩序や無秩序の中で暮らしてみたいもんだ」地面を見つめながら、叔父は洟をかんだ。ポケットからくしゃくしゃになった白いハンケチを出して、大きな音をたててかんだ。低く飛んでいる赤とんぼが一匹、叔父の体を通り抜けた。

「いかんな」くしゃくしゃのままハンケチをポケットに押し込み、叔父は言った。

「今日はもう消えることにしよう」赤とんぼが叔父の頭をすり抜けた。叔父はしばらく考えこんでいたが、小さく頷いてから、

「私は神を信じる」ときっぱり言った。

とたんに、叔父は還っていった。


還っているときには、何をしているのですか。何回目かに、聞いたことがある。

「別に」叔父はそっけなく答えた。怒っているのかと窺うと、笑っている。

「ほんとは自分でもよくわからない。うとうとしているみたいなもんだ」それ以上は詳しく話さない。たしかそのときは雨が降っていたのだ。叔父に傘をさしかけると、驚いた顔でわたしを見た。

「ああ、雨か」同じ傘の中に入っている。こんなに叔父に近づいたのは初めてだった。叔父とわたしは傘の中でじっとしていた。

「これを相合い傘という」いつもより高めの声で叔父が言った。困ったような顔をしている。

「そういえば相合い傘なんてことをするのは初めてかもしれん」

わたしも叔父も肩が傘からはみ出している。雨が当たる部分が濃い色になる。肩から腕にかけての大部分が濃くなったころに、叔父の肩をふと見たが、セーターの色は雨が降り始める前と同じままだった。

「ところで政治はどうかな」わたしの視線を辿っていた叔父は、一つ咳ばらいをしてから聞いた。

「相変わらずかな」

新内閣についてわたしがひとくさり解説する間、叔父は直立して真面目くさった表情をつくっていたが、話が一段落すると、首を振りながら言った。

「ああとても興味深い話だったよ。もっとくわしく聞きたいものだ」

そこまで言うと、叔父はすっと薄くなった。雨は霧のようなものに変わっていた。

傘をさしていても、霧がからだじゅうにまとわりつく。わたしの髪も服も手足も靴も水を含んでいた。

傘の中から、叔父はあちらへ還っていった。

「だんだん関心の幅が狭くなる」叔父は落ちついた声で言った。

「こないだもそれで還ってしまった。せっかく新内閣のことをくわしく説明してくれたのになあ。老化と同じだろうかね」

叔父はソファーにもたれている。粗大ゴミとして引き取ってもらうのが面倒で、誰かがこの野原に捨てていったのだろう。スプリングがいくつも飛び出し布は擦り切れているが、叔父は頓着せずに座っていた。

「華子と万里子のことくらいだ。あとはどうもいかん」

初夏だった。白い蝶が行ったり来たりしている。高く低く、蝶は同じ道すじを何回でも飛んだ。

「しかし年とっても旺盛に生きてる人間もいるからなあ」首をかしげる。叔父のセーターの色も叔父自身の色も、いつもより薄いように思われた。

「ところで、君はこのごろ何してるのかね」ゆっくりと野原を見まわしながら、叔父が聞いた。蝶が叔父をかすめて飛ぶ。ちょうどソファーの背のあたりが蝶の道にかかっているらしかった。

仕事してますねえ。あとは食べて寝て、少し恋愛して。

「食う寝るところにすむところ」叔父は目を閉じながらつぶやいた。

「食うっていえば、この季節はそら豆だね」

そら豆といえば五月場所ですね、と最近大関になった叔父の贔屓力士の話をわたしが始めようとすると、叔父はさえぎった。

「すまんね、どうもあれだ」目を閉じたまま何かの香りをかぐように大きく息を吸いこむ。

「そら豆が出ている間は、毎日万里子にゆでてもらったもんだった。毎日でも飽きなかった」もう一度、息を吸いこむ。

「でも、思い出せない」

え？　わたしは叔父の顔を覗きこんだ。

「どんなふうにそら豆がおいしかったか、もう思い出せない」少し眉をしかめる。

「可哀相などと思わないでくれたまえよ」しかめた眉をゆっくりと開き、叔父はにやりとした。

「もともとそら豆がどんなふうにおいしいかなんてことは気にしたこともなかったんだから」

叔父はソファーに横たわった。ときどき叔父の腕や足がソファーを突き抜ける。蝶は、まだ行ったり来たりしていた。

「初夏の匂いなんてものも、もう思い出せない」そう言って、叔父は伸びをする。

「まあそんなものかもしれないな」妙にのんびりとした口調である。どんどん表情がなくなっていく。

「ああ、眠くなってきた」言いながら、叔父は手招きした。わたしはソファーの前にしゃがんだ。

「ちょっと手をつないでくれると嬉しいんだが」半分目を閉じたまま言う。

「難しいがね」笑いながら、つけくわえる。

叔父の手をわたしは両方のてのひらで包んだ。突き抜けないように、小さな鳥を持つようにして、叔父の手を包んだ。

「いい気持ちだ」叔父の胸が規則正しく上下する。蝶が、横を通りすぎる。

「このまま永遠に眠っていたいよ」ねぼけたような声になってくる。

「もう目覚めなくていいんだ」

言ったとたんに、叔父は、足の先から還っていった。わたしが握っていた側の腕が最後まで残っていたが、やがてそれも還った。てのひらを開いてみると、そこにはもう何もなかった。


それ以来だから、二年と少しぶりなのである。叔父は前回のぼんやりした感じではなく、くっきりとした感じに戻っていた。

「華子が三十五歳だとすると、私は今年何歳になるのかな」言ってから、叔父は頭を掻いた。

「死んでしまったら、年はとらないか」

この前よりもずいぶんと、その、達者そうですね。そうわたしが言うと、叔父は肩をすくめた。

「そうかね、そんな気もするが、よくわからん」

今回は長く還っていたんですね。

「私としては同じようなものだが」

何が同じなのだか訊ねようとしてわたしが口を開く前に、叔父は続けた。

「今日がしかし、たぶん最後だ」

叔父は、たいそう叔父らしい表情をしていた。今までいちばん叔父らしく見えた。

「もう出ない。決めたんだ、やっと」

わたしは叔父の顔を正面から見た。叔父も、わたしをまっすぐに見た。

「つまりそういうことだ」

しばらく向かいあっていた。彼岸花がひとむら、真紅に咲いている。叔父の足は秋草を踏みしだくことなく、ぼうと草の間に浮かんでいる。

「ところで、何か願い事はないかな」叔父が言った。

「一つだけ、かなえてあげようじゃないか。君には世話になったことだし」叔父の目は笑っていた。

「疑っているね。まあいいさ。どっちにしろこれが最後だ、駄目でもともとじゃないかね」

しばらくわたしは考えた。

「抽象的な願いはやめたまえよ」諭すように言う。風はなく、日溜まりには蜉蝣《かげろう》が何匹か寄っていた。上空を飛行機が飛ぶ音がして、じきに遠ざかる。

それでは。わたしは言った。最後の午餐をお願いしましょう。

「午餐? つまり、私と、かね」叔父は意外そうな声で言った。

「そうか、そんなものでいいか。で、何を食べる」

叔父さんの好物を。わたしが答えると、叔父は一分ほど考えてから、いかにもそれらしい様子で手を大きく一振りした。花野に、机と椅子があらわれた。机の上には、あわびと海鼠《なまこ》と葛切りとざくろとそら豆が並んでいた。

「これだ」叔父は少し恥ずかしそうに言い、座った。

「さあ、食べたまえ」

叔父はわたしの向かいに座ったが、食べ物に手をつけようとはしない。食べないのですか、と聞いても、曖昧に首を振るだけだった。しかたなく、わたし一人で食べた。あわびもざくろも海鼠も葛切りも食べ終え、最後にそら豆が残った。叔父は、わたしの食べるさまをじっと見ている。

「そら豆がいちばんだったな、やはり」頷きながら言う。

「いちばんだ」

一緒に食べませんか。

叔父は迷う顔をした。

ものは試しですよ。

「そうだな」叔父は答えて、手を伸ばした。叔父の指が、そら豆をつまんだ。指は、そら豆を通過することなく、そのままそら豆を叔父の口まで運んでいった。外皮ごと、叔父は豆を口に入れた。ゆっくりと噛む。病人のように、ゆっくりと噛む。

「こんな味だったんだな」叔父は静かに言った。

「うまいな」

叔父の額に日が射している。椅子に座って日を受けている叔父の姿は、一枚の絵のようだった。大昔の、祝福に満ちた聖人の絵のようだった。聖人は、くたびれたセーターを着て膝の出たズボンをはいている。

「神っていうのは、その、いないこともないものなのかもしれんな」言いながら、叔父は立ち上がった。

「そろそろ行くか」言いながら、一回深呼吸をする。

「感謝する」そう言って、深く頭を下げた。

わたしも同じように頭を下げた。日が暮れかかっている。叔父は、大きな葡萄のように見える夕日を眺めた。それから、最後に落ちついた声で言った。

「いつか、また、会おう」


しばらくは何も起こらなかったが、やがて叔父のまわりの空気がゆらゆらしたかと思うと、かき消すように叔父はいなくなった。

叔父の立っていたあたりを見おろすと、小さな草の花が群れ咲いていた。

いつものように五分ほど佇んでから、わたしは花野を後にした。

河童玉

ウテナさんと精進料理を食べにいった。

寺で出す精進料理で、料理につられて昼からビールなんかを数本飲んでしまったので眠気がさし、本堂の横にある広い縁側で二人して柱に寄りかかっているうちに、うとうとしてきた。

庭を見にきた人たちや精進料理を食べにいく人たちが縁側を渡ってゆく。そのうちに通る人もいなくなって、いつの間にかわたしたちはすうすうと息をたてて寝入っていた。ときおり起きて薄目を開けると、枯れた蓮の葉が池から長く突き出して風に揺れているのが見えた。鳶が空の低いところをピョロロロロと鳴きながら飛んでいる。

ずいぶんと寝入ったころに、声をかけられた。

「おたずね申し上げます」声の主は言った。

「ウテナ様でいらっしゃいますか」

ウテナさんはぐっすりと眠っている。そうですよ、ウテナさんですよ、と、代わりに答えた。

「ウテナ様とウテナ様ご親友様でいらっしゃいますね」

ご親友というほどのものではないけど。そう答えると、池の中から聞こえてくるようにも思える声は、

「相談に乗っていただきたく存じまして」とつづけた。

いつの間にかウテナさんも起きて、目などこすっている。伸びすぎた枯れ蓮の茎がざわざわと揺れたかと思うと、池の水が盛り上がった。眠かった目がすっかりさめて、二人で水面を見つめていると、水の中からまみどりの河童が一匹、あらわれた。

「これはどうも、いやどうも」

言いながら、河童は水を滴らせてわたしたちの前に進み出た。河童の背丈はウテナさんよりも少し大きくわたしよりも少し小さい。絵で見た通りに、頭に皿を載せている。皿は端がぎざぎざで、大きく薄く繊細だった。

「お目にかかれて光栄です」河童はふかぶかとお辞儀をして、ウテナさんの前でかし

こまった。ウテナさんとわたしは顔をみあわせた。風がそよそよと流れ、からだはビールの酔いで少しばかりふくらんでいるような心もちである。

「愛恋の病の相談に乗っていただきたく」

河童は皿に掌を置きながら、言った。河童の指も、長く繊細だった。からだよりもこころもち薄い色のみどりの指が皿を軽く叩き、皿は、きいんと澄んだ音をたてた。

なぜ恋の相談などをウテナさんにといぶかしく思いながら、河童の曳いてきた船に乗り、池の上をすべっていった。奥の築山のところで途切れているように見えた池だったが、河童の船に乗っていくと、どこまでも限りがない。そのうちに寺の本堂も見えなくなって、いつの間にかあたりはうっそうとした深山になっていた。樹齢数百年はあろうかというシラカシが水面に枝を張り出している場所で、もぐってくださいと河童にうながされ、思いきってウテナさんと二人で水に飛び込んだ。息が苦しくなることもなく水の底へと下りつき、そのまま河童の後に従って歩いた。

水の中はくもっていて、魚はすいすいからだの脇を泳いでゆく。季節のせいか、水は少し冷たい。水底はやわらかな泥で、歩くたびに爪先がもぐった。しばらく歩くうちに岩が多くあらわれ、中でもとりわけ大きな岩の前で河童は止まった。

岩には穴がうがたれていた。河童は穴の中に入っていく。つづいてウテナさんもわたしも穴に入りこんだ。

「儂《わし》の部屋でございます」河童は言って、振り向いた。穴の中はほの明るく、河童をかたどった電灯や河童とそっくりのまみどり色をした座卓が、居心地よさそうにしつらえてある。

「遠くまでようこそ。早速にご相談をよろしゅうございますか」

河童型の電灯に灯をともしながら、河童は言った。電灯が河童の顔や腹に影を落とし、河童はいかにも河童らしく見えた。ウテナさんとわたしは、河童の勧めてくれる座布団に正座した。

まったく困ったことでしてな、と河童の話は始まった。

儂には三百年来の恋人がおりまして。それはそれは気持ちの優しいみめうるわしい女河童でございます。三百年もつきおうてござりますから、些かのいさかいもありましたし気持ちが行き違うこともありました、つまりはまあ山も谷もあったということでございますが、三百年にしては波瀾は少なかったほうであるように思います。儂と女河童はなんといっても気持ちが寄り添ってござったし、それよりも何よりも、あちらの方が素晴らしくあいおうていたのです。

「あちら?」

ウテナさんがすっとんきょうな声を出した。

さよう、あちらでございます。あなた様がたの世界でいうところの夜のこと、つまりは閨《ねや》のことでございます。河童の世界には夜も昼もありませんから、ここでは夜のことという言う方はいたしませんが。夜昼限らずいちにちじゅう儂らはあちらのことを大切にしておりますよ。ほれ、河童というものはほんらい天然のものでありますから、天然自然にあちらのことに没頭しがちなのは道理です。

「没頭」ウテナさんは奥深いような声を出した。河童は真面目な顔で頷いたりなんかする。

ところがちかごろ儂の天然の力がうまくないのでありますので。弱まってきたのかなんなのか、ちっとも凜としない。

「りん?」ウテナさんがふたたびすっとんきょうな声を出した。

「なんですかそれ」なんですか、の、です、が高く跳ね上がったような言い方で、ウテナさんは叫んだ。

河童の類はほんらい長命でありおまけに老いるということが少ない。髪は白くなっても背は曲がっても、あちらの方は男河童も女河童も、いつまでも盛んなのが通性なのです。いつまでも盛んで飽きるということを知らない。

ウテナさんは目を剥いた。目を剥いたまま何も言わないので、かわりにわたしが、やれやれ、と言ってあげた。

今日ウテナ様にお越しいただいたのは。

河童はそこで黙って、ウテナさんをじっと見上げた。泥に少し沈みこみながら、河童はゆらゆらと水になじんでいる。ウテナさんもゆらゆらと髪をなびかせている。

ウテナ様はあちらにかんする含蓄では人間界随一であると、河童界では評判なのでありますので、それでまあ。

「なにそれ」ウテナさんは怒鳴った。

「あたしは、あたしは、あちらの方とやらにはぜんぜんあかるくありませんよ、だいいちあたしったらこないだ失恋したばっかりなんじゃないのっ」

初耳だった。ウテナさん、失恋したんだったの、と聞くと、ウテナさんは腹立たしそうに首をぶんぶん縦に振った。

そこでございます。こんかいのウテナ様の失恋は、現在の人間界でもっとも奥の深い失恋であるとの評判なのであります。ここは是非ウテナ様にさまざまご教示願いたく。

「どうしてあたしの失恋のことが河童界に知れわたってるの」ウテナさんは泣きごえをあげた。

ウテナさんとわたしの前には、いわゆる山海の珍味といわれる類の食べ物が、卓いっぱいに並べられてある。いつの間にか河童たちが集まり、部屋の中には何十という河童がひしめいていた。歌ったり踊ったり、河童たちはさかんに楽しんでいた。その合間に、河童たちはウテナさんの前にやってきては、

「なにとぞ助けてやってくださりませな」

「ひとつウテナ様の深いお知恵で」

「この問題はひいてはわたしども河童界ぜんたいの問題にもなろうかと、はあ」などとかきくどいた。

ウテナさんはやけのように皿の上のものをばりばりとたいらげている。食べてしまったら人間界に戻れないかも、とわたしが言っても、ウテナさんは、

「かまうもんですか、どうせ失恋しちゃったんだし」と言いながら、かまわずたいらげる。

それならばとわたしも口をつけてみた。なかなかおいしい。何の魚なのか、白身の刺身がひらりひらりとうつくしく盛ってある、色もつややかな赤や緑や白の野菜の炊いたのが大皿に置かれてある、酢の物や揚げ物が小鉢や平皿に載せてある、大きいのから小さいのまで、みずみずしい胡瓜が、うすみどりの釉《ゆう》のかかった中鉢に盛り上げられ、手塩皿にたっぷりの味噌が添えてある。

精進料理を食べたばかりだったのに、いくらでも食べられる。帰ったら百年たってたりして、とわたしがウテナさんにささやくと、ウテナさんは、

「望むところだわよ、そのころにはあのひともとっくに死んでるだろうしさ、ふん」と答えて胡瓜を三本手に持ち、いっぺんにかじった。

気がつくと、ウテナさんはもっともらしい表情と口調で、河童たちに説教をしていた。

「愛や恋においてはですよ、からだと心は不可分のものですからねえ。からだに問題あるときは心に問題あり、心に問題あるときはからだに問題あり。人生そうかんたんに行くもんですか、三百年が三百年だろうが、三ヵ月が三ヵ月だろうが、だめなときはだめなのよ、だめなときはまあ諦めるのね」

威張った口調である。河童たちは、はあはあと頷きながら熱心に聞いているように見えたが、よく観察するとどの河童も口をもぐもぐさせながらうわの空である。ウテナさんが喋る合間に、仲間どうしでくすくす笑ったりからだをさわりあったりしている。部屋いっぱいに河童の水くさいような匂いがたちこめていた。

「ウテナ様、これが儂のつれあいでございます」

わたしたちを連れてきた河童が女河童を連れてウテナさんの正面に座った。河童どうしの区別はあまりつかないのだが、この河童はほかのものよりも少し痩せているので、かろうじて見わけがつく。

「ほれご挨拶を」とうながされて、女河童はもじもじしながら頭を下げた。下げるなり、ウテナさんににじり寄って、

「うちのひとがはあお世話に。河童玉やらなにやら、できることは全部してみたんで

すが、いまひとつ効果なしなんですよう、せつないやらつまらんやらはあ」と喋りはじめた。あちらの方がだめなために困《こう》じ果てていることをせつせつと訴える。ウテナさんは圧倒されて、説教を止めた。

「あの、河童玉って？」女河童の話の切れ目に、ウテナさんはこわごわ聞いた。

河童玉とは。今度は男河童の方が説明を始める。

河童界に伝わる河童の神の霊験あらたかな聖石であります。それは、河童の岩場の奥の奥にある、三尺ほどの径を持つ丸石、聖なる聖なる丸き石のことでございますが。河童はからだに故障があらわれると、この丸石のうえに数時間座ります、さすれば故障はたちどころに治る、そうやって何百年という生涯、河童は健やかさをたもつことができるのであります。どんな河童の一族にも聖石は伝わって在りますが、儂らの石は特に霊験あらたかだと評判なのですしかし、何時間座りつづけてもこんかいの儂の減退だけは治らんのです、なんということでございましょうか、ウテナ様ウテナ様。

先ほどよりも河童たちはさらに活発に踊ったり歌ったりしていた。河童の歌声で水がぶわんと揺れる。踊りで泥がぼこりぼこりと浮き上がる。ときおり見知らぬ女河童がやってきて、踊りませんかいな、歌いませんかいな、と、声をかける。まあまあと断ると、たのしそうに腕など振りながら踊りの輪に戻る。何回も同じことが繰り返されて、そのうちに、男河童も寄ってくる。

「あちらのこといたしませんかいな」などと声をかける。

え、と聞き返すと、

「せっかくこうして河童界にいらしたことでありますし、いたしませんか」

はあ？

「あちらの方でございますよ、河童の味はようござるよ」大声で笑いながら、それでもみっちりと勧める。

結構です、と断ると、これもたのしそうに歌う輪に戻る。いくたりもの男や女の河童がやってきては、何回でも誘った。そのたびにわたしもウテナさんもいちいち断った。最初はおっかなびっくり断っていたが、あんまり大勢来るので、最後にはわたしたちも大笑いしながら声に音色なんかつけて断るようになった。

「あんたどうでしょう、ウテナ様の前でいたしてみては、はあ」そのうちにわたしたちを連れてきた河童の連れあいの女河童が言いだした。

「ウテナ様の前だったらいたせるかもしれないじゃあありませんかはあ」

すっかり河童の歌い踊りにゆるんでいたわたしとウテナさんは、

「それもいいかもしれないわねえ、やってごらんなさいなごらんなさいな」と勧めた。

男河童と女河童は、すぐさま組み合いはじめた。熱心に試す。しかしやはりどうもいけないようだった。

三十分も組み合っていただろうか、最後には男河童の方が泣きごえをあげた。

「だめでござる、だめじゃあ、せつのうござる、くやしうござる」

わたしとウテナさんはため息をついた。女河童と男河童もため息をついた。他の河童たちはわたしたちにはぜんぜん頓着せずに、舞い踊っている。舞い踊りの合間に、飽かずわたしたちのところへ来ては、誘う。河童の味はようござるよ、と、どの男河童も言い、ウテナさんとわたしの頭や腕をつるりとさわっていく。あんたら、河童の男はほんとにいいですようまあ一回ためしてごらんなさいよう、女河童たちも言い、男河童たちと同じように、わたしとウテナさんの尻や背を撫でてゆく。太鼓や笛も出て、水の中は大騒ぎだった。

地上は夜なのだろうか、河童の電灯の光が明るく感じられるようになったころ、河童たちは寝入った。始まったときと同じように、騒ぎはすうっとおさまり、そのとたんに河童たちはばたばたと倒れるように泥の上で寝入った。

起きているのはウテナさんとわたしとくだんの男河童女河童だけだった。

「今日ははありがとうございました」女河童はウテナさんとわたしの手を握りしめた。

「ほんとにまあようお越しでした、儂のおとこぢからは情けのうござったが、まあうれしかったであります。ウテナ様とご親友様に来ていただきまして」男河童も言い、少しばかり涙を流した。それからまみどりの腕でごしごしと涙をふいた。

「あのね、きっとだいじょうぶですよ」ウテナさんが言った。

「あなたたち、きっと一ヵ月以内には、いたせますよ」ウテナさんはお告げを知らせる巫女のような口調で言った。

ウテナさんの顔を盗み見ると、これがもうすっかり巫女ぜんとしている。河童たちは目を輝かせた。

「あれまあありがたや」

「かたじけのうござる」

くちぐちに言い、頭を泥にすりつける。

「そろそろ行きますよ」ウテナさんは巫女の口調のままでつづけた。河童たちはあわてて立ち上がった。

「お帰りになる前にはあ、聖なる石にお座りになりませんか」女河童が言うので、ウテナさんとわたしは男河童の後について岩場の奥の奥へと歩いた。聖石は、直径一メートルほどの丸いへんてつもない石だった。神妙に二人して座ってみた。五分ほど座っているうちに尻が痛くなってきたので、もう帰ることにして、帰りも河童に送ってもらった。水面から顔を出すと、そこは寺の本堂の前で、ざばりと水からあがると築山の上に日が昇るところだった。

いつまでも手を振る男河童と女河童に背を向けて、ウテナさんとわたしは足音をたてないように本堂の廊下を渡った。水を滴らせながら、そっと夜明けの廊下を渡った。

数日後にウテナさんと部屋でお茶を飲んでいると、

「河童の丸石は効いたわよ」とウテナさんが言った。

「失恋からすっかり回復しました」そう言って、嬉しそうにした。

どんな失恋だったの、と聞くと、ウテナさんは笑って首を横に振った。

「そりゃあもう、人間界でもっとも奥の深い失恋だからさ、ひとことでは言えないわけよまあ」

あの河童も回復したかな。言うと、ウテナさんは大きく頷いた。

「だいじょうぶだいじょうぶ」うけあう。

一ヵ月してから、また河童が助けを求めてきたらどうしよう。訊ねると、ウテナさんはしばらく考えてから、

「また行きましょう。こんどはいたしちゃってもいいかも」と言い、わたしの背をぱんと叩いた。

いやですよ、いたしませんよ。わたしが答えると、ウテナさんは、

「何百年も連れ添うって、どんなかしらねえ」と、遠くを見ながら言った。

わからないわよねえ、と答えると、

「わからないわよねえ、でもうらやましいような話よねえ」とウテナさんはしみじみ言った。それから、しばらく二人で黙ってお茶をすすった。

クリスマス

「ちょっとしたもんでしょ」と言いながら、ウテナさんが壺をくれた。日曜の青空市で買ったんだそうである。首が細くしまっていて、貝の殻らしきものがところどころに貼ってあり、殻の部分は真珠色に光る。

「螺鈿《らでん》ていうのかな、こういうの。聞くと、

「そんなに由緒あるもんじゃないでしょうけどさ。なんかきれいじゃない」とウテナさんは答え、立ち上がった。それから、

「しばらく旅に出ますね」と言って、こちらを見た。え、と聞き返すと、

「なんてね。たんなる出張。旅に出たいよねえ、ほんとは」と言い、壺を卓の上にとんと置いたのだ。

貝殻が光を反射して、壺のあちらこちらがきらりと光った。

「花でも生けてよ」そう言い残して、ウテナさんは扉に向かった。

花ねえ。切り花はあんまり得意じゃないのよ、すぐに枯れるからかなしくて。わたしが言うと、ウテナさんはふふふと笑い、

「それなら、せいぜい床の間にでも飾ってやってよ。よく光ってることだし」と、扉を閉め際に言った。

床の間なんかないの、知ってるくせに。そう答えようとしたときには、もうウテナさんは扉の外だった。壺は卓の上で静かに光っていた。

ウテナさんは出張だったが、わたしもしばらく仕事が忙しくて、壺のことは忘れていた。卓の上にちんまり乗っていたが、本やら紙挟みやらコップやら薬やら芽を出しかけているベンケイソウの置いてある皿やらがごたごた置いてある卓なので、ことさら壺に注目したりしなかった。忘れていた。

ようやく仕事が一段落したころ、夜遅くに茶漬けなんか食べながら見ると、壺がいやにつやつや真珠色をしている。それで、思わず手に取ってみた。少しばかり曇っている部分があったので、布巾でごしごしこすった。

こすった途端に、「ご主人さまあ」という声があがり、それと共に煙が立った。

ええっ、と叫ぶと同時に、煙の中から若い小柄な女があらわれ出《い》でて、

「ご主人さまあ、こんにちは」と言った。ずいぶんと可愛らしげな声だった。煙が薄く残っているので、顔があまりよく見えない。

あなた、なんなの、そう問うと、女は、

「コスミスミコです」と答え、お辞儀をした。

コスミスミコさん、回文みたいな名ですね。ていねいなお辞儀が終わって顔を上げたコスミスミコに向かってつぶやくと、コスミスミコは眉を寄せて、

「ほんとにもうそうなんですう。親は何考えてたんでしょうねえ」と言い、にこにこした。

あの、コスミさん、ええと、その、壺から出てきたんですか。聞くと、コスミスミコは大きく頷いた。

あの、それで、コスミさんは、その、どういったかたなんですか。次に聞くと、コスミスミコはにこにこしたまま、黙った。しばらく両方で黙っていたが、いつまでたってもコスミスミコはにこにこしているばかりで何も言わない。所在なくなったわた

しは手に持ったままの壺をこすった。

途端に、コスミスミコは、ひゅうと壺に吸いこまれた。出てきたときと同様。こするやいなや。

あっ、とわたしは言って、壺を卓に戻した。茶漬けの残りを食べながら、わたしは壺をじっと見つめた。壺はつやつやと光っていた。真珠色に光っていた。


翌朝は早かったので、壺には触れなかった。前の晩もあれから壺には触れないようにした。コスミスミコは無害そうに見えたが、ほんとうに無害かどうか、わかったものではない。朝食をとらずに、水ばかりをがぶがぶ飲んで、わたしは部屋を出た。十二月に入ってから寒さが少しゆるんで、ぽかぽかした日が続いていた。それでも朝方は冷える。地面から足の裏に冷たいものが伝わってくるような感じだった。

いちにち仕事が忙しく、昼食を食べそこね、夕食をとる機会も逸して、わたしは茫然と部屋に戻った。疲れきって、買い物をするちからがなかった。冷蔵庫にたしか大根と柿とボンレスハムと卵があったはずだと思いながら部屋を横切り、冷蔵庫の扉を開けると、大根だけがあった。大根の横には、マーガリンとレモン。柿とボンレスハムと卵の姿は、どこにもない。あるのは、大根とマーガリンとレモンばかり。

大根とマーガリンとレモン?

ぐったりとしながら、わたしは冷蔵庫をさらえた。

ドアポケットや棚の隅をひっくりかえして調べた結果、缶ビールが二本、缶紅茶が一本、鉱泉水が一本、佃煮が少々、賞味期限を二週間過ぎた納豆が一パック、葱としなびた生姜ひとかけ、味噌、以上のものが発見された。それが冷蔵庫の残りの全容だった。

次に冷凍庫を開けたが、一皿の製氷皿に四角い氷が行儀よく並んでいるだけであった。残りご飯やら食パンやらがいくばくか冷凍してあった記憶があるのだが、影もかたちもない。

大根をトーストでトーストしてマーガリン塗ろうか。佃煮載せるとおいしいかもしれない。ぶつぶつと言いながら、わたしは椅子に座りこんだ。どうもおかしい。いかにわたしの頭がぼんやりしているにしても、冷蔵庫の中身が少なすぎる。

おかしい。おかしい。わたしはつぶやいた。おかしい、おかしい、何かがおかしい。つぶやき続けた。何かを忘れているような気がした。おかしいもの。おかしいこと。

コスミスミコ。

　思い出した。

コスミ。コスミスミコ。わたしは怒鳴った。コスミスミコ、あなたね。あなたが冷蔵庫のもの食べちゃったのね。

　怒鳴っても、何も出てこなかった。壺を取りあげて、思いきりこすってやった。ぼうんという音がして、煙がもうもうとたち、コスミスミコがあらわれ出でた。

「ご主人さまあ、おかえりなさいませえ」にっこりする。

　あなた、食べたでしょ。冷蔵庫のもの。言って睨みつけると、コスミスミコはにっこりしたまま、

「はいい」と答えた。

「はいい、食べましたあ、おいしかったごちそうさまですう」

　何で食べちゃうのよ、おなかすいてるんだからわたしは。ふたたび怒鳴ると、コスミスミコはびっくりした表情になり、

「あごめんなさいい。そんなこと考えなかったんですう。おいしかったですう、でもパンは電子レンジで解凍しすぎてすかすかしちゃいましたあ」と言った。

あなたね、どうにかしてよ、わたしはね、疲れて買い物に行く気力もないの。返してちょうだい、冷蔵庫のもの返してよ。さらに怒鳴ると、コスミスミコは目をぱちくりさせていたが、すぐに、

「なあんだ返せばいいんですねえ、はいい」と言って、頭を左右に振った。目をことさら大きく開き、頭をぶんぶん振った。

「返しましたあ」

冷蔵庫を開けると、柿とボンレスハムと卵があった。冷凍庫には、食パン半斤と残りご飯が二包みと冷凍海老が八匹、戻っていた。海老は記憶になかった。でもきっと入っていたのだろう。

「ご主人さまあ、ごめんなさいい。あたしいつもこうだから、だからこんな境遇になっちゃったんですう、でも悪気はないのお」

ご飯の包みを電子レンジに入れ、大根を千切りにして沸かした湯に入れながら、わたしはコスミスミコをじろじろと見た。コスミスミコは短いスカートとからだにぴったり張りつくような薄い半袖のブラウスを着て、裸足で立っている。小柄なわりに、足がすんなり長い。目が切れ長で眉は三日月形をしている。くちびるは桃色。鼻は少

し上を向いていて鼻梁が細く通っている。

大根が煮えてから、かつぶしの粉と味噌を溶き入れ、中に解凍したご飯を入れてから卵を落とした。ひと煮立ちさせてから火を消し、碗によそった。蓮華ですくって口に入れる。コスミスミコがじいっと見いっていた。

なに。なに見てるの。

「そうかあ、あたしはチャーハンつくったんです。ハムきざんで卵入れて。海老も入れました。野菜室の葱一本と。でもそっちの方がおいしそう。嵩もふえるしい」

料理なんかするの。腹がくちくなったので、いくぶんおだやかな声で聞いた。

「しますよお。これでもお料理、上手だったんですよお。お料理なんかしそうに見えないのに、意外性があっていいねって、いろんな男の子に言われましたあ」

ああん？　蓮華を使いながら、わたしは唸った。男の子お？　コスミスミコの口調を少し真似して、わたしは聞いた。男の子がどうしたのお？

「男の子なんですよお。あたしねえ、チジョウノモツレっていうので、こんなになっちゃったみたいなんですう」コスミスミコが涼しい顔で答えた。

チジョウノモツレえ？　どうもこの口調は癖になる。

チジョウノモツレって、痴情のもつれのことお？

「そうですう、たしか、どっかの男の子に刺されただかどっかの女の子に刺されただか、そんな感じですう」

刺されたって、あの、コスミさん。

「刺されたあと迷ってたらあ、壺に入っちゃったんですう」

迷うって、あの、迷ってたの、あなた。

「そうですう。でもよく覚えてない。ちょっと違うのかもしれない。あたし忘れっぽいからあ」

蓮華の先っぽを見つめながら、コスミスミコは言ったのだった。蓮華の先を、うらやましそうに見つめている。

食べる、これ。聞くと、コスミスミコは大きく嬉しそうに頷いた。客用の碗によそって、蓮華は一本しかないので匙を置くと、ひらりひらりと匙を使って、優雅に食べた。桃色のくちびるに、味噌の雑炊を、ひらりひらりと運んだ。

それが十日ほど前で、コスミスミコは以来すっかりなじんでしまった。部屋に帰ると、つい壺をこすってしまう。最初はこわごわこすっていたが、そのうちに習慣のようになった。当初少々癇にさわった喋りかたも、じきに気にならなくなった。頼んでおけば、家の中のこまごましたことを喜んでやっておいてくれる。料理以外はあまり得意でないらしく、掃除を頼んでもほこりがぜんぜん取れていないし、アイロンを頼むと折れ目の線が何本もついてしまったりしたが、わたしだって似たようなものだから、文句はなかった。人がいないときには壺から勝手に出ることができるらしかったが、わたしがいるときには自在に壺を出入りすることはできないのだった。いちいちこすらなければならないのだった。

なぜコスミスミコが壺なんかに住むようになったかは、あれ以来訊ねなかった。あまり聞きたくない類の話のようだったし、だいいちコスミスミコ自身がよく覚えていないらしかった。コスミスミコと過ごす夜は平穏で、小鳥がちいちい鳴くようなコスミスミコのお喋りは耳に心地よかった。

ある夜ニュース番組を見ながら二人で梅酒をすすっていると、コスミスミコがふと、「クリスマスの街って、すきなんだあ」と言った。

ニュースでは、街でサンタクロースの姿をして働く若い男性の一日、というドキュメンタリーめいた画面を流していた。

「クリスマスの街に出たいなあ」うっとり目を閉じながらコスミスミコはつぶやいた。コスミスミコの口から出る「クリスマス」という言葉は、たいそうクリスマスらしい響きを持っていた。鐘の音やとなかいの牽《ひ》く橇の滑る音、樅の木の香りや教会のミサの聖歌隊の響きが、その瞬間押し寄せてくるような心もちになった。

街に、行きたいの？　聞くと、コスミスミコはこくんと頷いた。

「行きたい。すごく行きたいい」

それなら、今度の日曜に、行くか。壺持って。そう言うと、コスミスミコはぴょんと跳ねた。

「ほんとお。うれしいよお。うれしいなあ」

何回でも、うれしいなあ、うれしいよお、と繰り返す。壺をこすってコスミスミコを壺に帰してからも、壺の奥からは「うれしいい」というかすかな声が聞こえていた。

卓の上に壺を置き、電気を消すと、壺はうっすらと真珠色に光った。暗い中で、うっすらと、光った。

半袖では寒そうなので、ほんとうは寒くないらしいのだが、なにしろ半袖では人目をひくので、コスミスミコにわたしの服を着せた。わたしよりもずいぶん小柄なコスミスミコは、袖口を折りベルトをしめ、靴には詰め物をした。大人の服を着た子供のように見えないこともなかったが、まずまずだった。コスミスミコは得意満面で、わたしの腕にぶら下がるようにして歩いた。

一緒に歩いていると、多くの人が振り返った。ときおりは「お茶でもいかが」と声をかける男性もいた。わたしの方はまったく見ないで、コスミスミコだけをじっと見つめながら言うのである。

「結構ですう」そのたびにコスミスミコは答え、わたしの腕をぎゅうと摑んだ。

もてるね。言うと、コスミスミコは鼻の頭に皺を寄せて、首を横に振った。

「だけどあげくにチジョウノモツレだもん、もてなくてもいいことないのよお」いつもより真面目な顔をして言う。

はあそうですか。答えると、コスミスミコはわたしの顔を指さして、

「ご主人様の方が、よっぽどすてきよお。あたしはそう思うう、ぜったい」

正面きって言われて、少しどぎまぎした。コスミスミコの「チジョウノモツレ」は、

もしかするとコスミスミコのこういうところから起こったのかもしれないと一瞬思った。

お酒でも飲もうか。言うと、コスミスミコは手を叩いた。

「飲もうよお、クリスマスぽいやつ。赤いのとか」

赤いのね。はいはい。言いながら、店を探した。イタリア料理屋があったので、二人で入った。

パスタと魚と肉とサラダを一皿ずつ頼んだ。「シェアなさいますか」と給仕が聞き、コスミスミコは「シェアってなあに」と訊ねた。給仕は顔をほてらせながら、コスミスミコに向かってたいそう丁寧に「シェア」の意味を説明した。コスミスミコが「そうなのお、ありがとうございますねえ、教えてくださってうれしいわあ」と言うと、給仕はこれ以上ないというほど胸をそらせて誇らしげに顔をあげた。

ねえ、ほんとにコスミスミコ、もてるね。

給仕が下がってから小さな声で言うと、コスミスミコは少しうなだれた。

「だからあ、それってぜんぜん役に立たない」

そうかな、でもコスミスミコ自身がそれを引き寄せてるんだよ。

「好きで引き寄せるんじゃないもの」

ふうん、そうかな。言うと、コスミスミコは眉を寄せた。しかしそれ以上何も言わなかった。じきに運ばれてきた赤ワインをくいくい飲みはじめた。

二人で、三本のワインを飲んだ。給仕はつきっきりで、わたしたちが「シェア」するためのナイフやフォークをまめまめしく運んだり、空になったグラスにすぐさまワインをついだりした。

やっぱり役に立つよ、コスミスミコのもてるの。ずいぶん酔ってから言うと、コスミスミコはつんと顔をあげた。

「それがどうしたのお。あんまり言うと壺に戻っちゃうから。ご主人様いじわるなんだからもお」

そんなことないよ。それに、わたしがこすらなきゃ壺に戻れないよ。言うと、コスミスミコは歯を剝きだした。

「そんならいいもん、もう一本ワイン飲んじゃうから」コスミスミコが大きめの声でそう言ったとたんに、給仕が飛んできてワインリストを差し出した。コスミスミコはうっとうしそうにリストを受取り、でたらめな場所を指さした。頼んだワインは店で二番目に高いワインだった。今まで飲んで食べたもの全部をあわせたよりもまだ高いワインだった。

それ、高いよ、やめてよ。言ったが、コスミスミコは歯を剝きだしたまま、「やだ頼む」と言った。給仕がすぐさま店で二番目に高いワインを持ってきて、栓を開けてしまう。

「どうせチジョウノモツレですよあたしはあ」

コスミスミコはワインの香りをくんくんとかぎながら言った。チジョウノモツレ、という言葉が、チゾーノモチレ、と聞こえた。酔って言葉も縺れていた。

まいいか、クリスマスも近いし。言うと、コスミスミコは半眼になって、「そうよお、もうすぐクリスマスだものお」と言い、もう一回細い声で「チゾーノモチレ」と繰り返した。

「チゾーノモチレになっちゃったけど、あたしあのひとのこととっても愛してたんだから」そう、細い声でささやく。

ふうん、そうなの。言うと、コスミスミコは「そうなのよお」と答えた。

「でもあのひとだけにはもてなかったんだ、あたし」そう続けて、ワインをぐいと飲んだ。

いろいろたいへんなのね、人生。

「いろいろよお」

そのあとは、酔っぱらって、演歌みたいなことをたくさん言い合った。人生、だの、生きる、だの、たくさん言い合った。いつの間にか金を払って、いつの間にか部屋に帰っていた。コスミスミコを壺に帰すのも忘れ、二人で寝床に折り重なるようにして、眠った。


そういえば先日はウテナさんの失恋話のこともあったし、コスミスミコはなにやら複雑怪奇な人生を経てきたみたいだし、せっかくクリスマスも近いというのに、難儀な人間ばかり身の回りにいたものだ。コスミスミコを人間と言っていいのかどうかはわからないのだが。

ウテナさんが出張から帰ってきたころをみはからって電話をすると、開口一番に壺のことを聞かれた。

あれ、どうして壺のことを。聞くと、ウテナさんは、

「なんだか予感がしてさ」と言った。「なんか起こったでしょ」

なんか、起こりましたよ。

ウテナさんにコスミスミコとのことをかいつまんで説明すると、ウテナさんは、

「世の中、ほんとにまあ、みんなたいへんだこと」と言って、笑った。

笑ったウテナさんはその夜部屋にやってきた。白ワインを二本提げてやってきた。

「コスミスミコ、あんた料理上手なんでしょ。このワインに合う料理作ってよ。それでさ、みんなでやけ酒飲みましょう」ウテナさんは言い、ワインの瓶と瓶をかちりと打ちあわせた。コスミスミコはにこにことウテナさんからワインを受けとり、冷蔵庫にしまった。

やけ酒？　わたしは別にやけになることないわよ。ウテナさんに向かって言うと、ウテナさんはこちらにせまって来ながら、

「ほんとかなほんとかな。やけになることない人生って、ほんとかな」と、ばしばし言った。

「人生い」とコスミスミコが繰り返す。

そういえば、こないだ赤ワイン飲んだとき、人生人生って言い合ったね、二人で。

わたしが言うと、コスミスミコは節をつけて、

「人生ぃ人生い」とさえずった。

「こら、ほんとのこと言いなさい。あんただって、人生ぃ〜、てなもんでしょ」ウテナさんがわたしに向かって決めつける。

貝のスパゲティーとトマトのサラダと山羊の乳のチーズを盛った皿をコスミスミコは盆に載せてやってきた。材料、どうしたの。そんなものうちになかったよ。問うと、コスミスミコは、「壺の中にあったとっておき」と答えた。「飲もう食べよう」ウテナさんが言い、すぐに二本のワインが空になった。わたしの秘蔵の九〇年ものの赤ワインも見る間に空いた。最後に開けた日本酒の四合瓶もじきに空き、わたしたちはろれつの回らない舌で、生きるってさあれよねえ、ほんとよねえ、まったくねえ、と、意味のない言葉を何回でも繰り返した。

目を開けると、床の上で寝そべっているわたしの上には毛布がかかり、横で鼾をかいているウテナさんには羽根布団がかかっている。

コスミスミコは、床には寝ていなかった。卓に向かって、しんと座っていた。

「あのねえ、どうしてあたしのこと好きでいてくれなかったの」じっと眺めていると、コスミスミコが壺に向かってささやいた。

「あたしはあんなに好きだったのに。あなただけ、世界中の誰でもない、あなただけに好かれればよかったのに」いっしんに壺に向かって言う。

「でもだめだったわねえ。ざんねんよお、ほんとに」

言いおわると、コスミスミコはしばらく黙り、それからしずかに泣きはじめた。涙がコスミスミコのやわらかな頬を伝い、真珠色に光った。いつの間にかウテナさんも起きて、コスミスミコを眺めていた。

「コスミスミコ、おまえしょうのない奴だね、壺に住んでも、まだあきらめきれんか」ウテナさんもささやくような声で呼びかけた。

「とっくにあきらめたんですう。でもときどき思い出すんですう」壺に向いたまま、コスミスミコは答えた。

「思い出してもしょうがないよ。知ってるだろうけど」ウテナさんが言うと、

「知ってるもん、よく知ってるもん、ウテナさんよりよっぽどあたしのほうが長生きしてるんだから」とコスミスミコは答えた。

生きてないでしょ、わたしが言うと、コスミスミコは、「あ、間違えた。なによお重箱の隅をお」と、今度は普通の声で言い、わたしの背中をどやしつけに来た。

「もっと飲もうぜ。今夜はクリスマスイヴだよ。知ってた?」ウテナさんが立ち上がりながら言う。

そうだった、クリスマスイヴだったわね、聖夜だわよ。わたしが答えると、コスミスミコが、「もうお酒ないよお」と言い、するとウテナさんが壺をやたらに振りまわしながら、「酒くらい出しなさいよ、壺に住んでるような奴ならば」と叫ぶ、コスミスミコは壺を逆さにして三人のコップに何やら透明の液体を垂らし、ウテナさんはすぐさま液体を飲み干して、「うまいっ」とよろこぶ、コスミスミコは壺をシェーカーのように振りながら、どんどん液体を注ぐ、ウテナさんもわたしもコスミスミコを抱きしめて、「イヴだものね、聖夜だものね」と叫ぶ、コスミスミコもわたしたちを両抱きにして、「生きてないけど聖夜だものねえ」と叫びかえす。橇やとなかいみたいな音が窓の外に響く、「コスミスミコ、長生きしろよ」ウテナさんが言う、「だからあ、生きてないのお」コスミスミコが答える、いいわよ、壺ごといつまでもいればいいわよ生きてなくても、わたしが手をひろげる、「壺ごと、いますよお、いつまでもいるからねえ」コスミスミコが半分笑いながら半分べそをかきながら言う、「ずうずうしいんじゃない」ウテナさんが少し意地悪そうに茶々を入れる。

クリスマスの朝が明ける。

星の光は昔の光

チャイムが鳴った。えび男くんかなと思って出たら、やはりそうだった。えび男くんの鳴らすチャイムは、とても柔らかい。柔らかい音で、必ず二回鳴らすのである。

「えび男くんのチャイムが鳴ると、壺から出たくなっちゃうよ」とコスミスミコは言う。

「あんまり優しい音だからね、つるつるっと出てきたくなっちゃう」言いながらコスミスミコが壺から顔だけを出すこともあったが、暮れになって忙しいとかで、このごろはコスミスミコはあまり壺から出たがらない。こすって無理に出すと、むっつりしたまま乱暴なしぐさで事を行ったりするので、壺はそっと机の上に置かれたままである。

コスミスミコが出なくなったのと入れ違いに、えび男くんがたびたび訪ねてくるようになったのである。

扉を開けると、えび男くんは首だけを曲げるやりかたで挨拶をする。首を折れそうに深く曲げる。えび男くんのうなじは、たいそう細く、白い。


えび男くんという名は本名ではない。最初のころ本名で呼んでいたら、「ほんとうはその名前好きじゃないの」と言ったのだ。それでは何と呼んでほしいのかと尋ねると、しばらく考えたすえ、「えび」と答えた。えびが好きなのだそうである。

ならばえびくん、とわたしが始めると、それでは不満そうなのであった。

「えびくんなんて、かわいすぎるよ」

あれこれ試してみて、結局えび男くんに落ちついたのは、それから数日後だったように思う。

「えび男ね、まあそんなところかな」と、えび男くんは大人びた口調で言ったが、うなじはあいかわらず細くて頼りないのだった。

えび男くんはいつも「今日学校であったこと」や「今日考えた大事なこと」や「明日起こるかもしれないこと」について、静かなゆっくりとした口調で話してくれる。「今日はね、四百メートルのトラックを走ったよ」そんなふうにえび男くんの話は始まる。

「学校のそばに競技場があるんだ」

そこでえび男くんは言葉を切る。えび男くんの話は、いつもとぎれとぎれだ。とぎれの途中で意見を述べたりすると、決してその後の言葉が続かないことを何回かの経験によって知ってから、わたしはえび男くんの話のとぎれ目にはできるだけ黙っているようになった。

「先生はね、好きなだけ走りなさいって言ったんだよ」

好きなだけか。言うと、えび男くんは、

「好きなだけだよ」と続けた。

「鈴木くんや木下くんなんて、帰る時間までほとんど休まずに走り続けてた」ほっとため息をつく。

「でもぼくは二周しか走らなかったな」

そこまで喋って、えび男くんは机の上にころがっていたみかんを手に取った。丁寧に剝きはじめる。皮を均等に剝き、筋をいっぽんいっぽん取り、小房に分けたものを口に持っていき、ちゅうと吸った。

「なんかさ、へんな気持ちになっちゃったんだ」

吸ったあとの房は、花のようにきれいに広げた皮の上にのせる。

「遠ざかったり近づいたりするみんなの背中見てたらね。なんかこう」

またちゅうと吸う。

「ぼくだけが動いてないような気持ちになっちゃったんだよね」

動いていない気持ちか、そうか。

そのあとに、それはわかるような気がする、と言いかけたが、やめた。えび男くんは、わかる、という言葉があまり好きではないみたいだったので。

「ぼくのまわりのみんなが動いてるけど、ぼくだけひとところに止まっちゃってるみたいな」

ちゅう。

「そんな感じ」

えび男くんはわたしの方をほとんど見ないで話す。机やみかんを見ながら、話す。机やみかんに向かって、あれこれ、話す。わたしが頷くと、わたしに向かってではなく、机やみかんに向かって、頷き返す。

えび男くんは、わたしの部屋の隣の隣の３０４号室に住んでいるのだ。

「三人家族」と、ある日えび男くんは説明した。

「三人家族だけどね、でも三人いることは少ないよ」そう説明したのだ。

少ないのか。言うと、

「ごくごく稀だね、三人そろってることは。たいていお父さんは、いない」と答えた。

「三人そろうのが稀なんでね、お母さんはニンゲンフシンなんだな」

人間不信か。むつかしい言葉知ってるね。

「はっきり意味知らないけどさ」えび男くんは、少し照れたように言った。頬が紅潮し、目が三日月のかたちに細められ、珍しくえび男くんのまわりの空気が一瞬華やいだ。しかし次の瞬間には元よりももっとしんとしたえび男くんに戻り、

「意味知らないけど、うすうすわかるよ」と続けた。

うすうす。

「うすうすね。あのさ、遊ぼうよ、一緒に、って気持ちになれないってことでしょ。ニンゲンフシン」

なるほどね。一緒に遊ぼうよ、にならないのね。

「そうだよ。お母さん、ぼくとだって遊ばないもん。ときどき一人でトランプとかしてるけど。一緒にやろうよって言ってばばぬきとかやってもつまんなさそうだしなあ」

えび男くんはともだちと一緒に遊ぶの、好き？　と聞こうと思ったが、やめておいた。不躾な質問に思えたからだ。

「あのさ、明日はぼくころぶかなあ」二つめのみかんを剝きながら、えび男くんは突然言った。

ころぶの？　聞き返すと、

「ころぶかもしれないじゃない」と答える。

えび男くん、ころびやすいの？

「いや、特に。でもころぶかもしれないでしょ」

そう。

「そうだよ。明日はきっところぶよ、ぼく」確信に満ちた様子で、えび男くんは言った。

「ころんだら、ヨードチンキつける。しみるけど、ぼく平気だよ」平気だよ、と言いながら、また目を細めた。頼りないうなじを深く曲げて、頷いた。それから、ちゅうとみかんを吸った。

えび男くんは、ほんのときおりだが、いやに饒舌になることがある。いつもが口少なというわけでもないが、喋るさまがとぎれとぎれのせいか、お喋りだという印象がない。そのえび男くんが、饒舌になるのは、曇りの日が多い。

「実は」と始めたのも、曇りの日だった。

「実は、えびが好きなのは、ぼくじゃない」決めつけるような口調で始まった。えびが好きなのはぼくじゃなくてえびが好きなのはぼくの家族であるところのお父さんなのである、お父さんはえびの名産地に育って、えびが名産であるから、そこは海辺の土地だったのだが、海辺の土地でお父さんは毎日磯釣りをしたり海にもぐったり岩場で磯の生物を採ったり砂浜をかけまわったりしてのびのびと暮らした、えび男くんのように家の中でひそひそと絵や字を書いたり一人で本を読んだり、そんな子供とは違う型の子供だったらしい、えび男くんが好きなのはほんとはえびではなくハンバーグである、お母さんは三日に一回はハンバーグを作ってくれる、それは薄くかりりとして、嚙めば中からじゅっとおいしい汁が出てくるハンバーグなのに、お父さんはハンバーグを見るとなんだ子供の食べ物じゃないかと言う、お母さんはお父さんのいるときにはえびの料理を作る、えびはそりゃあおいしいけれど、ぼくはえびが好きなのかそうでないのかときどきわからなくなる、えびはおいしいのかもしれない、ただしお父さんが家にいることはめったにないので、えびを食べる機会は言うほどはないのだけれど。

えび男くんはそれだけのことをひといきに喋った。屋根のすぐ上を飛行機が飛んでいくような音がした。曇りなので、音が近く感じられる。

えび男くんのお母さんのハンバーグ、おいしそうだね。わたしが言うと、えび男くんは真面目な表情で頷いた。それから、玄関に放り出してあった自分のジャンパーを持ってきて、はおった。

「寒いよね、今日は」

それほど寒くないと思ったが、えび男くんの顔が白い。牛乳を温めて出すと、

「ああ」とえび男くんは言って、コップを両手で囲った。

「ああ、ほかほかだ」

牛乳を飲んでいる途中で、えび男くんはふたたび玄関に行き、手提げの中から箱を取り出した。机の上に置いて、蓋をはずす。箱庭だった。

「学校でつくったの。あげる」

運ぶ途中で崩れたのか、土が少し片寄っていた。すすきの穂と椿の枝が何本か挿してあり、横にはボール紙で作った牛と豚らしい動物がいた。牛が三頭、仔豚が一匹。

牛、ぶちだね。言うと、えび男くんは一頭をとり出した。

「牛の形とるの、けっこうむずかしかったよ」

牛はかなり上手にできていた。首を地面にのばし、目を開けて、足を少し広げる姿勢をとっている。机の上に置くと、のんびりと草を食《は》んでいる風情になる。そこにない草を食んでいる風情になる。

えび男くんは牛を眺めるわたしの顔を、熱心に覗きこんだ。えび男くんの瞳は、黒よりも薄く茶よりも濃い。まばたきをすると、睫毛が目の下に影をつくった。

とっても牛らしいよ、これ。言うと、えび男くんは目を三日月にしてから、そっと牛を箱に戻した。

「ねえ、ぼく思ったんだけど」牛乳の残りを飲み干しながら、えび男くんはチョコウエハースをつまんだ。何枚かをいっぺんにつまんだ。

「お父さんはさ、のびのび遊ぶ人間が好きなんだね」

そうなのかな。答えると、えび男くんは、

「そうだよ。だからお母さんやぼくのところにあんまり帰って来ないんだよ」と続けた。

「のびのび遊ばないから、つまんないんじゃないのかな」

わからないな。ほんとうにわからなくてつぶやくと、えび男くんはたいそう考え深そうな様子になって、

「お父さんはニンゲンフシンじゃないんだね。だから、ぼくやお母さんとは遊ばないけど、ぼくやお母さんじゃない人たちとは、いっぱい遊んでるんだよ、きっと」と、唇を少しとがらせながら、言った。

もっと牛乳飲む？　聞くと、えび男くんは首を横に振った。

「もう飲まない。もういいです。ありがとう」そう答え、牛の位置を少しなおし、仔豚を撫でた。すすきの穂がしばらくの間揺れ、それから静まった。

えび男くんが姿を見せなくなった。

えび男くんのくれた箱庭は、出窓にのせてある。ときどき霧吹きで水をやっているせいか、椿の葉はまだ緑を保っていた。すすきの穂はすっかり開いてふわふわになっている。304号室は静かで、えび男くんとそのお母さんがいるのかどうか、扉の前に立って耳をすませてもわからなかった。えび男くんの好きなチョコウエハースをいつも用意して待っていたが、まさか匂いをかぎつけてくるわけもなく、しばらくするとチョコウエハースは湿り気をおびてきてしまうのだった。湿ったチョコウエハースを、しかたなくわたしは一人で食べた。

じきに正月が来て、小さな重箱に少しずつのお節料理を詰め、あいかわらずむっつりとしたコスミスミコを数回呼び出し、二人でお節料理を食べてから花札をし、負けたコスミスミコが今までにないほどひどくむっつりするのでそれ以来壺をこするのはやめにしてこたつで居眠りをし、テレビをぼんやりと眺め、近くの神社に初詣に行き、すると正月は終わった。

わたしはチョコウエハースを缶の中にしまってえび男くんを待った。けれど、松が取れてもえび男くんは訪れなかった。

箱庭の椿が枯れてしまったのでとり出した。すすきはまだふわふわしているのでそのまま挿しておいた。牛も仔豚も寒そうだった。出窓が結露するころには、牛と仔豚はずいぶん色あせていた。

そのうちにわたしはチョコウエハースを買わなくなった。箱庭のすすきの穂は白く、雪が降っている光景のように見える。雪の中、牛はしんと草を食み、仔豚はじっとうずくまる。えび男くんの声が聞きたかった。えび男くんの、こころぼそいうなじを、眺めたかった。

一月も半ばになり、暖かな日が何日か続いた。梨畑から続く長い坂道を、わたしは散歩していた。夕方の所在ない時間に、とりとめもなく散歩していた。どこからか煙の匂いがする。

「ねえ」という声がうしろから聞こえた。

え、と振り向くと、えび男くんだった。

「ねえ、焚き火の匂いだよ」

薄闇の中を、坂の下からえび男くんがのぼってくる。

ひさしぶり。そんなようなことを口の中でつぶやいて、わたしは坂の途中でえび男くんと向かいあった。こうやって外で立って話をするのは、初めてかもしれない。えび男くんの背が少し伸びたように感じられた。

「焚き火だよ、行ってみようよ」

えび男くんはわたしと並んだ。わたしの手を取って坂の上へと引っ張ってゆく。しばらく来なかったのね。そう言うと、えび男くんは、

「まあね」と答えた。

「ちょっとね、お父さんとお母さんの間でとりこみごとがあったの」

大人びた口調である。もともとこどももしたところは少なかったのだが、「とりこみごと」という言葉の発音はかんぜんに大人の口調だった。思わずえび男くんを見た。えび男くんの顔だった。顔は、子供のものだった。

「元気だった?」闊達な様子でえび男くんが訊ねる。

元気だったわよ。でもえび男くんが来なくて、ちょっとつまんなかった。答えると、えび男くんは喉の奥でかすかに笑い声をたてた。

坂をのぼりきったところにある空き地で、大きな火が焚かれていた。はぜる音がしていて、二、三十人ほどの大人や子供が焚き火を囲んでいる。木の枝に桃色や緑色の丸い餅を刺したものを火にかざしている人もいる。

「どんど焼きだね」えび男くんが言った。

よく知ってるね、どんど焼きなんて。

「小さいころ、お父さんの田舎に連れて行ってもらったときにね」えび男くんは、わたしの手を握ったまま言った。

「会うの、ひさしぶりだよね」これも大人の口調である。

ほんとにひさしぶり。チョコウエハース、しけっちゃった。言うと、えび男くんは今度は声を出して笑った。

「また買っておいて。行くから」

もう大丈夫なの、その、とりこみごと。聞くと、えび男くんはわずかに頷いた。

そう、大丈夫なの。よかった。

「ほんとはね、大丈夫じゃないんだけど」しばらくして、えび男くんが小さな声で言った。火が大きな音ではぜている。

「ぼく」さらに小さな声である。

「ちょっとのあいだ」子供の声に戻っている。

「ニンゲンフシンになってみてたんだ」

焚き火を囲む人たちの顔が橙色に輝いていた。火をみつめる人たちの表情は、どれも同じように見えた。口をわずかに開け、目を細め、嬉しいような悲しいような、どちらでもあるような表情なのだった。たぶんわたしもえび男くんも同じ表情で焚き火をみつめているのだろう。

「でももうやめたよ」えび男くんはつないだ手に少し力をこめた。

「だって、ニンゲンフシンて、かなしいばかりでいやなんだもん」

わたしも、手に力を入れた。しばらくそのまま力を入れていた。木に刺した餅が焼けると、見物人の間に枝がまわされた。餅を一個ずつ取っては、まわす。しかしわたしたちのところにまわって来る前に、餅はなくなってしまった。

「残念」えび男くんが言った。

「でもほんとはあまりおいしくないんだよ、あれ」

そうだね、味もついてないしね。

えび男くんの顔も、橙色に輝いている。紙やお飾りが火のなかに投げこまれ、そのたびに炎が大きく燃え上がった。何回も木の枝はまわされ、しかし一回もわたしたちのところまではまわって来なかった。

「あのさ、熱いっていう感じをかたちにすると、どんなかたちになると思う」火をみつめながら、えび男くんがふと聞いた。

かたちねえ。かたち。やっぱり、火かなあ。

「ぼくはね、熱いっていうのは、手を天に向かって差し上げてる太ったおじいさんみたいなかたちだと思う」

ふうん。それはなんだかおもしろいね。

「別におもしろくもないけどさ。じゃね、寒いっていうかたちは?」

寒い、ね。寒いはね、星みたいなものかなあ。

「ぼくの寒いはね、小さくて青い色の空き瓶だよ」

えび男くんは言って、わたしの手を振りほどくようにしてから、焚き火に背を向けた。えび男くんのうなじはあいかわらずたよりなかった。そのうなじをもたげ、空を見る。わたしも同じようにして顔を空に向けた。シリウスが白く光っている。ほかの星は炎の明るさに打ち消されて、よく見えない。

そうやってしばらく立っていると、うしろから、

「そら」と声をかけられた。

「そら、あんたら、これあげるよ」

振り向くと、みかんを両手に持った人がいた。

「こんなはじっこにいちゃ、餅はまわってこないだろう、腹も減るしさ、そら」言いながら、みかんをえび男くんとわたしの手におしこむ。二個ずつおしこむ。

「ありがとう」えび男くんは目をみはっている。目をみはりながら、深い声で礼を言った。

「ありがとう」もう一度、えび男くんは繰り返した。

なんともいえない声だった。

みかんをくれた人は、笑いながらえび男くんの頭を撫でた。

「いい子だ」そう言いながら、撫でた。

しばらく「いい子だいい子だ」と言いながらえび男くんの頭を撫でてから、その人は炎に近いほうに歩み去った。

炎が少しずつ小さくなっていく。いつの間にか人の数が減っている。さきほどみかんをくれた人は、炎を囲む人たちに紛れて、見分けがつかなくなっていた。

「みかんだねえ」えび男くんが言った。

「二個もあるよ」

わたしはえび男くんの肩をぽんと叩いた。

えび男くんもわたしの肩をぽんと叩いた。つまさき立ちになって、ぽんぽんぽんと三回、叩き返した。

坂を下りながら、わたしたちはふたたび空を見上げていた。

「あ、リゲル」えび男くんがつぶやいた。

よく知ってるね。言うと、えび男くんは照れたように、

「こないだお母さんと二人でプラネタリウムに行ったんだ」と答えた。

しばらく黙って歩いた。焚き火のはぜる音が遠ざかる。音がすっかり聞こえなくな

ったころ、えび男くんが、

「みかんって、どんな感じをかたちにしたものなんだろう」と言った。

　みかんねえ。

「みかんって、ひやひやするね」

　見ると、えび男くんは、二つのみかんをズボンの両ポケットに入れているのだった。

「足までひやひやが伝わってくるよ」そう言って、ズボンの上からそっとみかんを撫でる。だいじにだいじに、撫でる。

　みかんはね、おいしいっていう感じをかたちにしたんだと思う。

「それじゃそのままじゃない」

　そのままのこともあるよ、そういうこともあるよ。

「そうだね、そうかもね」少ししてからえび男くんは言い、みかんを一つポケットから取り出して、皮を剥いた。半分に割り、筋も取らずにそのまま口にほうりこんだ。

　三つ星がよく光ってるね。言うと、えび男くんはみかんを口に入れたままのくぐもった声で、

「あのね。星は、寒いをかたちにしたものじゃないと、ぼくは思うな」と答えた。

ふうん、とわたしが言うと、えび男くんは、

「星はね、あったかいよ」とつぶやいた。

「星の光は昔の光でしょ。昔の光はあったかいよ、きっと」きっと、と言いながら、えび男くんは鼻をくすんと言わせた。

かぜ？　と聞くと、

「違うよ、少し泣いてるんだよ」えび男くんは答えた。

昔の光は、あったかいのか。わたしが言うと、

「昔の光はあったかいよ、きっと」えび男くんは繰り返した。

ハンケチ、使う？　聞くとえび男くんは、

「いい」と、ことわった。それから、自分のズボンからちり紙を出してちんと鼻をかみ、

「昔の光はあったかいけど、今はもうないものの光でしょ。いくら昔の光が届いてもその光は終わった光なんだ。だから、ぼく泣いたのさ」と、しっかりした声で言った。

わたしがえび男くんの手を握ると、えび男くんも握り返した。それからえび男くんは、小さな声で、「むかしのひかりいまいずこ」と歌いはじめた。

えび男くんにあわせてわたしも、「むかしのひかり」と唱和した。歌いながら、二人並んで坂道を下った。ゆっくりと下った。

三つ星とリゲルが、遥か彼方でまたたいている。

春立つ

「猫屋」に久しぶりに来ている。

「猫屋」は、カナエさんというおばあさんが一人でやっている飲み屋で、「猫屋」という名前の通り、猫が六匹ほども飼われている。カウンターだけの小さな店の奥にはカーテンが下がり、カーテンはいつも半開きになっている。半開きの向こうにはカナエさんの居間が見える。夏ならばござが敷かれ、冬ならば炬燵が置かれている。その居間で、六匹の猫たちは座ったりにゃあにゃあ鳴いたりたまには簞笥に乗っては飛び下りたりしているのである。六匹が五匹に減ったり、赤ん坊が生まれて十匹に増えたりすることもあるが、一ヵ月くらいたつと、いつの間にか六匹に戻っている。

「ちょうどいい数なのよ、六匹」カナエさんはいつも言う。

「七匹でも五匹でも、落ちつかないのよね」店にいる間、一回は猫の数についてカナエさんは言及する。こちらが尋ねるわけではない、カウンターに肘なんかついてカナエさんの漬けた梅とその梅酢を入れたお湯割りの焼酎（夏ならば梅サワー）を無言で飲んでいると、カナエさんは必ず話しかけにくるのである。カナエさんの店では静かに飲むことはできないしくみになっている。連れと熱心に話しこんでいるとき以外は、カナエさんはすぐに話しかけるし、おまけに客はいつも少ないときている。

「猫屋」にときおり行くようになったのは一昨年くらいからである。家の近くで飲み屋に入ることはほとんどないのだが、忘年会かなにかの帰りで、まだ飲み足りなかったんだかどうだったか、道ばたに見えた「猫屋」ののれんを、ふと、くぐったのだった。


客は一人もいず、カナエさんはとっかかりの居間で、猫たちと一緒にテレビを見ていた。ごめんください、と声をかけると、カナエさんは小さな音のテレビを消し、よっこいしょと言いながらカウンターの中に入った。

「寒いわねえ」言いながら、カウンターに積んであるタオルを一枚濡らして絞り、手渡す。カウンターの上には、積み上げられたタオルの他に、だるま、枝ぶりのあまりいいとは言えない盆栽、何本かの果実酒の瓶、コーヒー粉の入ったガラス瓶、マッチ、

などが雑然と置いてある。置いてあるものの間から、カナエさんは顔を出し、

「何にするの」と聞いた。

お酒、それにあたりめ。答えると、カナエさんは首を横に振り、

「お酒さ、あるんだけどさ、あんまりおいしくないのよ実は」と言う。

おいしくないんですか。驚いて訊き返すと、

「このへんの地酒なんだけどさ。買わないとね、酒屋がね、あれだから。でもおいしくないよ」続ける。

はあ。

「焼酎にしなさいよ。安いしさ」

言われた通り焼酎にすると、カナエさんが漬けたという自慢の梅干しを入れ梅酢で割ってから、手渡してくれた。それ以来、「猫屋」に通うようになったのである。「猫屋」に、焼酎の梅割り（夏ならば梅サワー）を飲みに行くようになったのである。

「もう、春だわね」カナエさんが、カウンターに積んだタオルを一枚取って洗い物をした手を拭いながら、言った。

まだ寒いじゃないですか。二月が、一年のうちでいちばん寒いっていうじゃないですか。答えると、カナエさんは、

「でも暦の上では立春だしさ。春だよ、もう」と言う。

ふうん、そうか。あいまいに頷きながら咳こんだら、カナエさんはカウンターの中にしゃがみ、しばらく顔を出さなかった。どうしたのかと思っていると、銀色の袋を手に持って立ち上がった。

「これね、よく効くのど飴だよ」言いながら、袋の口を開けて、こちらの手に草色ののど飴を何粒も載せる。

「ほかののど飴は、効かないよ。これが一番なの。それでさ、駅前の薬局で買うと、普通の店で三百円のところが百九十円」

舐めてみると、ひりひり辛い。草の匂いがする。舐め終わってからカナエさんの田舎から送ってきたというヤツガシラの炊いたのを食べていると、カナエさんは首をこちらに突き出してきた。

「ほらね、咳、止まったよ。よく効くでしょ」

効きますね。

「効くよ。だけどね、あとで柑橘類食べちゃだめだよ。柑橘類食べると、せっかく止まった咳がどんどん出てくるからね」

ええ、食べないようにします。

「食べないことだよ。グレープフルーツやらぽんかんやら、だめだからねほんとに」

客はあいかわらずわたし一人で、カナエさんはひっきりなしに喋っていた。焼酎の四杯めをおかわりする頃にはずいぶん酔っていて、だから、カナエさんの話してくれたことは正確には覚えていないのだ。いつの間にか、カナエさんは身の上話みたいなことを始めたのだった。いつでもひっきりなしに喋るカナエさんだったが、今まで身の上話めいたものは一回も語ったことがなかった。

「春だからさ」と言いながら、カナエさんは話したのだった。

「春だからさ、たまにはまあ話してみるかね」と言いながらカナエさんがしてくれたのは、おおよそのところ、次のような話だった。

カナエさんがごく若いころのことである。

どのくらい若いかというと、自分がどんなに若いかも気がつかないくらいの、若さである。

雪の多い町に住んでいたのだ。秋が終わる前に初雪があり、春、カナエさんの言うところの立春過ぎになっても、雪は厚い。

カナエさんの家は町のはずれにあった。雪の季節、カナエさんも町のひとびとも、昼には雪掻きをし屋根の雪をおろし、職場へ学校へ買い物へ小さな歓楽街へと繰り出すのであるが、夜にはひっそりと家に閉じこもるのが常だった。

そんな町で、カナエさんは夕方に歩くことを好んだ。そろそろ暮れる、そろそろひとびとが家に籠もる、そのような時間に、町の端から始まってさらに町をはずれようとする道を、カナエさんはずんずん歩いたものだった。ずんずん歩き、やがて町が見えなくなると、カナエさんは煙草を外套のポケットから取り出し、手袋を脱ぎ、マッチを擦って火をつける。ふかぶかと煙を吸い込み、マッチの燃え殻を雪の上に捨てる。黒い燃え殻は、翌日またはその夜から雪が降り続ければ、積もった雪の中にふかぶかと沈み、晴れたままならば、凍りついた雪の上に黒く散らばったまま残るのだった。

一本か二本の煙草を吸いおわると、カナエさんはふたたび手袋をはめ、外套の襟を立て、まわれ右をし、来たときと同じように、ずんずんと家に帰る。家に着くころには日はすっかり暮れている。カナエさんは長靴の裏についた雪をていねいに落として、ひっそりと玄関の土間に佇む。何分間か佇み、それから数回深呼吸をすると、台所だの居間だの、家の者の気配がある場所に戻ってゆく。毎日一人で町はずれに行くわけを、カナエさん自身も知らなかった。

ある年の立春、それとも立春を少しばかり過ぎたころだったかもしれない、カナエさんはいつものようにたそがれどきになってから町はずれに向かった。いつもと違う道を歩いてみたかったのだろうか、記憶はさだかではない、町はずれに向かう道は一本しかないようにも思われたのだが、その日は違う道を歩いていたのだった。道はゆるやかに蛇行し街灯が雪の上に淡くくぐもった光を落としている、カナエさんは道を長く歩いた。いつまで行っても街灯は途切れず、立ち止まって煙草を吸うきっかけもつかめない。どのくらい歩いたか、地の底から響くような鈴の音がしたような気がして、道から少しばかりはずれ、丘陵の頂上あたりに当たるらしいその場所から下方を覗きこむと、目眩《めまい》がやってきた。獰猛《どうもう》な目眩ではない、眠りに入りたくなるような薄くかすかな目眩である。カナエさんは目眩の感覚にとらえられたまま、丘陵の斜面を滑り落ちたのであった。

落ちる。そう思った。

落ちている。次に思った。

まだ落ちている。

さらに落ちている。

落ち続けている。

いつまでたっても止まらない。カナエさんは斜めになったまま、斜面をものすごい速さで滑り落ち続けた。とっくに丘陵の底に着いてもいいはずなのに、止まらない。尋常のことではないと、滑り落ちながら、カナエさんは思った。尋常でないならば、滑り落ちた先で尋常に生き長らえることはできないかもしれないし、尋常に死ぬことだってできないかもしれない。想像もつかないことが起こるのだろうか。妙にしんとした頭で、カナエさんは考えた。

一時間も滑り落ちていただろうか、むろんそれは三十秒のことだったかもしれない、どちらかは今になってもわからぬことである。カナエさんの体はついに斜面の底に着いた。

底に着くころには滑り方はゆるくなっており、徐々に速度は小さくなっていった。

しゅん、というような音をたてて、カナエさんは止まった。目を開くと、雪が積もっており、雪の他には何もなかった。ぐるりと全方向を見回してみたが、きれいさっぱり、何もなかった。

さて、このままここでこと切れるのかしら。カナエさんはぼんやり思ったという。その前に、煙草を一本。

時間をかけて煙をのみこみ、時間をかけて煙を吐き出した。三本吸ったところで、目の隅を何かの影がよぎった。

え。カナエさんは息を吸いこんだ。吸いこんだところで、もう一回、影がよぎった。こんかいは影のかたちがはっきりとわかる。

影は、人のものだった。

影は若い男のものだった。どのくらい若いかというと、自分がもう若くないと思いこむ、そのくらいの若さである。

「カナエ、こっちにおいで」男は言った。

どうして自分の名を知っているかも確かめず、カナエさんはただ男につきしたがい、男の住む家に入った。そのままカナエさんは男と連れ添った。朝は男が目を覚ます前に起き出し、暖炉を暖め食事をつくり男を送り出した。昼は家じゅうの高い場所にはたきをかけごみを掃きだし廊下をみがき洗濯をし、夕方になれば魚や肉や野菜を煮て熱い汁をつくり風呂を沸かし、男の帰りを待った。男が帰ることもあったし、夜更けになっても帰らないことがあった。帰れば男はカナエさんを抱きしめたりくるくるまるめたりした。帰らぬ晩には、カナエさんは男の帰りを待ったまま、暖炉の前で居眠りをした。

淋しいと最初に思ったのは、雪が溶けはじめるころだったか。

男が帰らなくて、淋しい。男が側にいなくて、淋しい。

尋常でない場所で尋常でないことをしているのに、淋しいという尋常な気分が湧いてくることを、カナエさんは不思議に思った。男は何を考えているんだか、カナエさんが「淋しい」と言っても、生返事をするばかりで、埒があかない。なんでこんな男と添うたか、カナエさんはがっかりしたが、男にまるめられるのはいつでも心地よかった。

「あんたが好きみたい」カナエさんがある日ためしに言ってみると、男は、

「好きたあ、なんのことだ」と返した。

「好きっていうのは、好くことよ」

「なるほどなるほど」男は言い、カナエさんをまるめに来た。

「好きっていうのは、好かれたいことよ」まるめられながら、カナエさんは続けた。

「なるほどなるほど」男はもう一度言い、さらにカナエさんをまるめた。

これ以上まるまらないくらいまるめられて、カナエさんは何がなんだかわからなくなった。この場所に落ちてきたときと同じような、薄くかすかな目眩を感じた。

好きになってしまったからには、この場所も尋常の場所になるかもしれない、そのようなことを薄々思いながら、目眩を感じていた。

目眩に耐えられぬほどになったころ、男の気配がすうと消えた。まるまったかたちから広がったかたちに戻るのに手間どったせいか、それとも男の気配の消し方がうまかったせいか、男の消えた先はかいもく見当がつかなかった。

目眩はすっかり消えていた。カナエさんは家中男を捜してまわった、箪笥の中にもおらなかったし、天井裏にもおらなかった、床下にも風呂桶の中にもおらなかった、おらないとなるとますます男が恋しかったが、一日、二日、三日と捜しても見つからないので、カナエさんはあきらめた。

もうあきらめた。

そう思った瞬間、男の声が降ってきた。

「カナエ、カナエ、またじきに添おうぞ、雪が降るころに迎えに来ようぞ」

声は天から降ってくるように聞こえた。この場所に滑り落ちてくるときに聞こえた鈴の音が同じように響き、気がつくとカナエさんは自分が育った家の玄関の外に立っていた。

雪は溶け、暦の上では春は終わりに近づいていた。


それはまた。まあ。

ふだんのカナエさんからは想像もつかないような話を聞き、わたしはおっかなびっくり、相槌みたいなものをうった。

「好きだったのよねえ」カナエさんは一つにまとめておだんごにした髪にかけたネットをさわりながら、言った。

はあ。好きだったんですね。その、男の人っていうか、あの。

「雪が溶けるころにいなくなっちゃう、そういう存在のものをね」

存在。

「そう、存在」

その、存在を、カナエさんは、好きだったんですか。

「まあねえ、そのときはね」

カナエさんは少しの間目をつぶった。

「そのときはさ、大好き、早く迎えに来て、なんて思ってたんだけどね」

思ってたんだけどね、と言いながら、カナエさんは両方のこめかみを人指し指で揉んだ。

「ねえ、頭痛のときにはここがツボだよ、強く揉みすぎちゃいけないからね、あと、風邪の咳に柑橘類はだめだからね」

ツボについては、今年になってから聞くのは確か三回めだったし、柑橘類と咳については、今日だけで五回めだった。草色ののど飴を二個口に入れてから、カナエさんは話を続けた。

どうやら自分の身に起こったことは、古来の伝承によくあるようなことらしい。

家に戻ってからは、伝承や伝承を元にして書かれた小説を何冊も読んだ。さらわれた、或いは迷いこんだ女たちは、里から都から離れた繭の中のような異界で、いったい何を思って過ごしたのか。

男あるいは鬼あるいは物の怪《け》につかえまたはつかえられ、どの女たちも多かれ少なかれ男あるいは鬼あるいは物の怪に狎《な》れたように、物語の中では描かれていたのである。

最後まで気を許さずに自力で下界へ戻った女は稀であった。中には下界からやってきた勇者に助けられるかたちで戻る女もあったが、そのとき女が、すでに狎れた鬼や物の怪から離れられて喜んだかどうかは、うやむやになっていることが多かった。

女は、下界に連れ戻した者に連れ添うのがそのような場合の常だったが、そのときに女たちは気色ばんだのだろうか。それとも嬉しんだのだろうか。カナエさんには、前者のように思われるのだった。狎れた鬼や物の怪から離れることを、女たちがかなしんだように、思われるのだった。

　翌年の冬、雪が厚くなるころ、カナエさんは落ちつかない様子になった。夕方に行っていた町はずれへの散歩は、昼にも朝にも行われるようになった。あのときの道を探したが、みつからなかった。道がみつかったときが男の迎えに来るときなのだろうとわかっていたが、道はみつからなかった。

　しかしある日ついに、道に行き当たった。道に導かれて同じ丘陵をのぼり、下方からの鈴の音に耳を傾け、目眩を感じながら永遠のような斜面を滑り落ちると、男が、いた。

「おかえり」男は言った。

「また来ました」カナエさんは答え、二人は抱きあった。

　男とカナエさんは睦まじく暮らした。このたびはカナエさんは「好き」という言葉を口に出さなかった。出したとたんに男と別れなければならない羽目になるかもしれないと、おののいたからである。代わりにカナエさんは、

「しあわせです」と言うことにした。

「しあわせかね」男は聞き返した。

「しあわせですよ」カナエさんは答えた。

「しあわせはいいね、しあわせなだけでじゅうぶんだから」男は満足したような顔で言い、自由自在に暮らした。帰りたいときには帰り、帰りたくないときには帰らなかった。

カナエさんはやはり男が帰らぬときには淋しく思ったが、口には出さなかった。そして雪が溶けるころになった。

男が七晩帰らなかった。

カナエさんの体じゅうが淋しくなった。体のうわっつらも中身も、ぜんぶが淋しくなった。最後まで残っていた淋しくない部分が淋しいにくるりと裏返ったとき、カナエさんは帰らない男に向かって、

「帰ってほしいのです」と呼ばわった。

とたんに目眩が来て、カナエさんは町はずれに立っていた。

その男の人、ちょっとずるいんじゃないんですか。わたしが言うと、カナエさんはあいまいに首を振った。

「ずるいってのとは、ちょっと違う」

そうかな。なんか勝手気儘っていうだけの男じゃないいんですか。

「まあそういう言いかたもできるけど」

カナエさんはカウンターに置いてあるカリン酒の瓶の蓋を開け、小さなガラスのコップに注ぎ、お湯を少し足してからわたしに差し出した。

「これも喉に効くよ。猫も飲むよ」

猫、酔っぱらいませんか。

「酔っぱらうほどは、やらない。舐めさせるだけよ」

雪の降る季節になるたびに、カナエさんはその男の人のところに行っていたんですか。聞くと、カナエさんは頷いた。

「ずいぶん歳がいくまでね。雪の間はいつもあのひとのところに行ってたさ」

それ、ちょっといいですね。一年じゅう一緒にいるんじゃないと、こう、新鮮で。

「新鮮ったって、思うときには会えないんだから」

はあ。

「そのうちにね、なんだか荒れてきたよ」

荒れてきたって、どういうことなんでしょう。聞くと、カナエさんは静かな表情になり、ふたたび語り始めた。

呼ばわれば帰される、好きと言えば拒まれる、カナエさんは男の側にはいるのだが、男に触れることができないのと一緒なのだった。

帰されることが恐ろしく、カナエさんは必要以上に男に触れまいと努めるようになった。それでも、いつか男の琴線に知らずと触れてしまい、雪の終わるころになればカナエさんは必ず元の場所に帰されてしまうのだった。

帰されれば帰されるほどカナエさんは男を慕った。慕うというのではないのかもしれない、偏するというのか取りつかれるというのか、男に触れたくて居ても立ってもいられないような心もちが果てしなくふくらみ続けてくるのであった。

「もう来ない」と言ってみたこともあった。

しかし、どの年も結局雪が降れば足は町はずれへ向き、カナエさんは伝承話の中から、いつまでたっても抜け出せないのだった。

「これじゃいけない」カナエさんは思い、あるときから男のことを考えないようになった。共に住んでも、男を見ず、男を感じず、男に向かわず、そのうちに男がいてもいなくとも何も思わぬようになった。

「ようやく」とカナエさんは思ったのだ。

「これでもう帰されない」

しかし、その年も結局カナエさんは帰ったのである。

ただし、帰されたのではない。みずから帰ったのである。

男といても何も思わぬのならば、共にいることなど、必要ではなくなってしまったのであった。


それ、ひどい話なんじゃないですか。カリン酒をすすりながら言うと、カナエさんは大声で笑った。カリン酒は甘く、喉にじわじわとしみ込んだ。

「ばかみたいよね」小さな体を揺すって、心からおかしそうに、カナエさんは笑った。

それで、どうしたんですか、その後。

「二度と行かなかったよ」

二度と。

「引っ越しちゃったしね、雪の降らない町へ」

ご家族で引っ越したんですか。

「いや、そのころはもう親も死んでたし、一人でね」
一人になってから、この商売始めたのよ、とカナエさんは言った。この商売、案外向いてたみたいで、たいして儲かりもしないけど損もないね。ししゃもを焼きながら、カナエさんは鼻唄をうなった。店にカラオケはあったが、誰かがマイクを持って歌っている姿を見たことがない。たぶんカナエさんはカラオケがあまり好きではないのだろう。カラオケを歌う客に向かって、うるさく話しかけて邪魔したりするのだろう。

「なんかね、あのひともあたしも、依怙地になってたんじゃないのかな」鼻唄が途切れたところで、カナエさんは言った。

依怙地ねえ。

「若い者はさ、依怙地なのよ、あはは」
もう一度行きたくないですか。今なら、違うようにできるんじゃないですか。
猫の餌箱にししゃもを置きに行って戻ったカナエさんに、聞いてみた。

「そうね、違うかもね」カナエさんはふくみ笑いをしながら答えた。

「それ、いいかもしれないわねえ」言ってから、カウンターの下にしゃがみこみ、銀色の袋を出して、ちり紙にのど飴をざらざらあけた。それから、ちり紙をおひねりにしてわたしの手の中に押し込んだ。

「あのね、柑橘類はだめよ、咳がぶり返すからね。林檎ならいいけど、すっぱい汁の出るものは、だめですよ」

焼酎は六杯めになっていた。もう飲めない、と言いながら勘定を払い、カナエさんのしてくれた話のところどころを思い返しながら、部屋に帰った。翌日はかなりなふつかよいで、昼まで頭が持ち上がらなかった。


暦の上だけでなく、花にも木にも皮膚にも春を感じるようになるまで、カナエさんの店には行かなかった。決算期で忙しかったのだ。

四月になってカナエさんの店に行くと、「猫屋」という看板がはずされていた。店の裏にまわってカナエさんの住居部分も覗いたが、雨戸は閉まり、猫の気配もカナエさんの気配もなかった。

もう一度表にまわり、扉の隅に小さな貼り紙をみつけた。貼り紙にはこんなことが書かれてあった。

一身上の都合により、勝手乍ら閉店させて頂きます。
長年のご愛顧有り難う存じました。
皆様のご健康をお祈りしております。
雪の降る地方で、これからの余生を過ごすつもりです。
違うように、できるような気になりましたので。

店主敬白

これじゃあ、ほかの人にはわけわからないじゃないの。思いながら、わたしは貼り紙を何回も繰り返し読んだ。猫は連れていったのだろうか。「あのひと」もおじいさんになっているのだろうか。伝承話の世界でもカナエさんは梅干しを漬けるのだろうか。聞きたいことはいくらでもあったが、聞くべきカナエさんはもういなかった。沈丁花は終わり、桜のつぼみがふくらみ始めていた。波瀾万丈なんだか、地道なんだか、カナエさんたらもう。つぶやきながら、わたしは春空を眺めあげた。情熱だなあ、とつぶやきながら、桜のつぼみをいつまでも眺めあげていた。

離さない

旅先で妙なものを手に入れた、とエノモトさんが言ってきたのが二ヵ月ほど前だった。

画家兼高校教師のエノモトさんは、わたしの部屋の真上の部屋に住んでいる。地区の自治会の役員を同期につとめたのがきっかけで、それ以来話すようになった。おいしいコーヒーいれますよ、と、ときどき電話をかけてくる。階段をとんとんのぼり、エノモトさんの部屋に行っておいしいコーヒーをごちそうになる。世間話をしばらくしてからまた階段をとんとん下り、自分の部屋に戻る。そのくらいの仲である。

エノモトさんの部屋はわたしの部屋とまったく同じつくりなのに、ずいぶん印象が違う。男所帯にしては整理がいっているが、画の道具やらエノモトさんの趣味のカメラやらそれらの分野の雑誌やらが部屋じゅうに置かれている。わたしの部屋よりもぜんたいに輪郭がくっきりしているような感じで、それが面白かった。

エノモトさんのいれてくれるコーヒーは「おいしい」と言うだけのことがあるものだった。手動のミルで豆を挽き、布で漉す。あたためたコーヒーカップにゆっくりと注ぐ。香りも味もたいへんよろしきものなのである。それなので、エノモトさんから「コーヒー」の電話があると、わたしは多少の用があってもうっちゃって階段をとんとんのぼるというわけなのだった。

そのエノモトさんからの「おいしいコーヒー」の誘いが、最近はないのである。二ヵ月前、妙なものを手に入れたという電話をエノモトさんがしてきて以来、誘いがない。妙なものとは何なのか、エノモトさんは話さなかった。そのうちいずれね、とエノモトさんは言ったのだったか。桜が咲きはじめていた。わたしの部屋の前にも大きな桜の木が生えていて、風が吹けば花びらがベランダに散りかかってくる。

エノモトさんの部屋からは桜の木のてっぺんが見えるにちがいなかった。桜はまだ咲き満ちておらず、それでも強い風に会えばいくらかの花びらを散らせる。ベランダの花びらを拾ってきて、水を入れた皿に浮かしてみた。ほんのりと薄ももいろに色づいた花びらは、水に浮いてふよふよと漂った。そんなこんなしているうちに、エノモトさんから電話がかかってきた。よかったら相談に乗ってもらえないか、とエノモトさんは言ったのだ。階段をとんとんのぼり、402号室のベルを押した。

扉を開けたとたんに何かの匂いがした。何の匂いだろうかと思いながら靴を脱ぎ、部屋を見まわした。雑誌、棚に大事におさめられたカメラ、画架、描きかけの画、いつものエノモトさんの部屋である。

「コーヒーいれましょう」とエノモトさんは言い、台所に立った。しばらくすると部屋に慣れて、最初に感じた匂いが何なのかますますわからなくなる。匂いがあったかどうかもわからなくなる。

「ささ、どうぞどうぞ」とエノモトさんはコーヒーカップを両手に持って台所から出てきた。少し痩せたか。

エノモトさん、元気だった？　と聞くと、エノモトさんは眉を寄せながら、

「元気といえば元気、元気でないといえば元気でない」と答え、笑った。

「これじゃ答えになってないね」そう言って、笑った。わたしも一緒に笑い、コーヒーを飲んだ。コーヒーはこのたびもたいそうよろしかった。

おいしいですね、と言うと、エノモトさんは頷き、すぐに、「二ヵ月前ね」と始めた。エノモトさんはもったいぶる質《たち》ではないのだ。少し下を向きかげんに座りながら、エノモトさんはこんなことを喋った。

二ヵ月前、南方に旅をした。海沿いに南下していったのだ。帰る前の日に、漁村の小さな民宿に泊まった。いつも旅の最後の日には寝つかれないことが多くて、その日も波の音を聞きながら長く起きていた。すっかり目が冴えてしまったので、真夜中起き出して、海岸を歩いた。海岸沿いの道路にある電灯が浜を照らしていた。遠くの波打ち際に漁の網が投げ出してあった。どこか座れるところがないかと歩いているうちに、いつの間にか網のあるところまで来た。ぼんやり網を眺めると、網の中に何かがいるのに気がついた。中のものは動かない。まぐろよりは小さく、鯛よりは大きい。尾ひれが長い。ひれから腹にかけては大きな虹色のうろこに覆われている。腹から上にはうろこがない。白く、なめらかな、皮膚である。長い髪が上半身に巻きつき、髪の隙間から豊かな胸が見える。あちらを向いているので顔の造作はわからない。耳が髪の間からつきだしていた。こまかな虹色のうろこが、耳にもある。息をしているのかどうかと思って顔の見える側にまわってみた。目も口も固く閉じられている。白いやわらかい石に、刃物で切れ込みを入れたような目と口だった。鼻は、その石を少し練って高みをつけ薄くととのえたようか。しばらくじっと見ていると、肩が上下していることがわかった。生きているらしい。生きている、それは人魚であるらしかった。人間の大人の三分の一ほどの大きさの、それは人魚なのだった。

手に入れたものって、それじゃ、人魚なの？　驚いてわたしは叫んだ。

「そうなんだよ」とエノモトさんは言い、髭をしごいた。

あの、人魚って、そんなに小さなものなの。聞くと、

「ほかの人魚はどうだか知らないけどねえ」とエノモトさんは答えた。

二人でなんとなく顔を見合せ、それ以上何を聞いていいのかわからなくなってわたしが黙っていると、エノモトさんは浴室の扉を開け、わたしを招き入れた。

人魚がいた。浴槽の三分の一くらいの高さに張られた水の中を、人魚が泳いでいた。端まで行ってくるりと反対側を向き、違う端まで行くとまた反対側に向く。何回でもそれを繰り返す。ゆっくりと、人魚は、浴槽の中を往復しているのだった。潮の匂い

が強かった。さきほど玄関で感じたのは、この潮の匂いだったのだろう。人魚は長い髪を水の中にゆらめかせながら、こちらを見ることなく、往復を繰り返していた。

「こういうわけなんで」とエノモトさんが言った。

そういうわけか、と答えたが、何が「わけ」なんだか、人魚はわたしたちが入っていってからずっと往復しつづけている。

ずっとこういうふうに泳いでるの？　聞くと、エノモトさんは頷き、

「腹が減ってないときはたいがいね」と答えた。

人魚、と言いかけたがやめにして、このひと、とわたしは言いなおした。人魚が人語を解するかどうかわからなかったが、自分が人間以外のものに「人間」と呼び捨てにされたら気分悪かろうと思ったからである。「このひと」という指示が適切であるかどうかは難しいところだが。

このひと、ずっといるの？

「いるよ、ぼくが連れて帰って以来」エノモトさんは言い、浴槽の横に置いてある盥《たらい》から鰺を一匹取り出して、人魚に手渡した。

人魚は泳ぎを止め、鰺の頭としっぽを両手でおさえた。浴槽の壁に寄りかかり、ち

ょうどハーモニカを吹くような様子で、鰺の頭からしっぽまでを口でなぞる。一回なぞるごとに鰺はきれいに削ぎとられてゆく。なんとも優雅な食べかただった。一片も食べ残すことなく、水を汚すこともなく、人魚は鰺を食べつくした。もう一匹渡すと、同じようにして食べる。五匹も食べただろうか。いつまでも人魚が鰺を食べるところを見ていたかったが、エノモトさんはそれ以上は渡さなかった。最後の一匹を食べてしまうと、人魚はふたたび浴槽を往復しはじめた。エノモトさんが浴室を出ていったので、わたしもしぶしぶ浴室を後にした。人魚のそばを離れたくなかった。

「出てきたくなかったでしょ」二杯めのコーヒーをいれてくれてから、エノモトさんが言った。

え？　と聞き返すと、

「浴室から」エノモトさんは言った。

そういえばそうだったかも。答えるうちに、人魚のそばを離れたくなかった気分をはっきりと思い出した。

「どうやらそういうものらしい」いにしえの昔から、人魚はそういうものと決まっているし、などとエノモトさんは言い、人魚がいかに人を惹きつけて離さないかをしばらく説明した。

二ヵ月前の夜、エノモトさんは人魚を網からはずし、民宿の部屋に連れ帰ったのだ。あんがい人魚は軽かった。水で濡らした布でくるんだ人魚をビニール袋に入れ、エノモトさんはそのまま人魚を家まで連れてきてしまったのだという。交番に届けるなりなんなりすればいいようなものを、なぜ連れて帰ってしまったのか、そのときにはエノモトさんにはわからなかった。連れ帰るのが不自然であるということにも気がついていなかった。ただ、どうしても連れて帰りたく、いくら軽いといっても大きな荷物になる人魚を袋に詰めて連れてきてしまったのだ。

交番に届けるものなの？　と聞くと、エノモトさんは顔をしかめ、

「ぼくは真面目に話してるんだから、真面目に聞いてよ」と言った。

真面目に聞いてますよ、真面目に拾得物の処理方法について考えてるんだわよ。わたしも言ったが、エノモトさんはわたしの言葉にはとりあわず、話を続けた。

最初は、人魚の泳ぐ様子や魚を食べる様子が面白くて離れがたいのだと思っていた。ところがそのうちに、勤めに出るのがおっくうになってきた。朝魚をやると、もうい

けない。そのままずっと浴室に座りこんでいたくなる。ようやくの思いで勤めに出るが、働いている間じゅう、人魚のことが気にかかってしょうがない。一刻も早く終業時間がきてほしいと切望してしまう。生徒にものを教えていても昼飯を食べていても職員会議に出ていても、気はそぞろである。飛ぶように家に帰って浴室に行く。人魚はただ泳いでいるばかりなのだが、泳いでいる姿から目が離せない。画を描こうと思って画布に向かっても、すぐに浴室に足が向いてしまう。一日に何十回も浴室を覗く。そのうちに浴室に入りびたりになった。眠るときと食事のとき以外は浴室にいる。人魚のそばにいれば落ちつくのだ。人魚のそばで本を読んだり仕事をしたりする。

しばらくはその状態で満足していたが、ある朝どうしても人魚から離れることができなくて、欠勤してしまった。そのときから今まで五回も欠勤している。このままではいけないと思い、きみに相談することにした。

でも今はエノモトさん気もそぞろじゃないじゃない。わたしが言うと、エノモトさんは、

「必死にそういうふりしてるんだよ」と答えた。

「ほんとは今も人魚のそばに行きたくてしょうがない」

エノモトさんがそう言ったとたんに、わたしも浴室に行きたくてしかたなくなった。いてもたってもいられなくなった。どうしてそれほど人魚のそばに行きたいのかさっぱりわからないのだが、いてもたってもいられない。

しばらく二人でコーヒーを飲む様子をしていたが、二人ともコーヒーなどぜんぜん味わっていなかった。先に立ち上がったのがエノモトさんで、直後にわたしも足を踏み出した。二人で、争うように、浴室へ向かった。人魚はすいすい泳いでいた。涼しげな様子で、浴槽の中を往復していた。

お願いだから預かってほしい、このままでは自分はだめになってしまう。そう繰り返すエノモトさんの願いを何回でも断ったが、最後は断りきれなかった。いちばんいいのは人魚を海に帰すことだということをエノモトさんもわたしも知っていたが、二人とも知らないふりをしていた。これだけしか人魚に触れていないわたしがこのありさまなのだから、エノモトさんはどんなかと思うと、少しばかりぞっとした。最後は預かることになってしまった。

浴槽に水を満たして待っていると、エノモトさんが人魚を袋に入れて運んできた。

袋から、人魚をするりと水に放つ。人魚はすぐに浴槽を泳ぎはじめた。エノモトさんのところにいるのと、ちっとも変わりがない。

さ、出ましょ。お茶でもいれるわよ。わたしがそう言っても、エノモトさんは浴槽の横から動こうとしない。エノモトさんの手を引っぱったが、それでも動こうとしない。

わたしが預かったんだから。そうわたしが言うと、エノモトさんはゆっくりと顔をあげた。

エノモトさんがわたしを睨んだ。目に、光がない。光のない目で、何を考えているんだか、エノモトさんはじっとわたしを睨んだ。いつまでも黙って睨んでいる。

どうしたの、エノモトさん。問いかけても、エノモトさんは黙っている。

ね、ここから出ましょ。夕飯でも一緒にどう。

それでもエノモトさんは黙っている。黙って、わたしを睨んでいる。怖くなって、先に浴室を出た。扉越しに耳を澄ませたが、人魚が浴槽の中を泳ぎまわる水音がするばかりだ。一時間待っても、エノモトさんは出てこなかった。部屋の中はしんとしていて、人魚のたてる水音ばかりが浴室の壁越しに響く。音をぜんぜんたてないのに、エノモトさんの気配が部屋じゅうに濃く漂っている。二時間たっても三時間たっても、エノモトさんは出てこなかった。あきらめて眠ろうとしたが、眠れるものではなかった。真夜中、突然大きな音がしたかと思うと、浴室の扉が開き、エノモトさんがころがるように出てきた。うわあ、というような声をあげながら、エノモトさんはわたしの部屋から走り出ていった。人魚を連れていったかと思い浴室を覗いたが、人魚はそこにいた。顔を横向きにして、ふわふわとはんぶん水に浮いている。自然にしていると、浮くらしい。コップに浮かせた桜の花びらのように、ふわりと水に浮きながら、人魚は眠っていた。

たしかに人魚から離れるのはつらかった。毎朝鯵か鰯か鯖を人魚に食べさせて、そのあとに会社に行かねばならないのが特につらかった。

人魚を預けられてから数日が過ぎたが、エノモトさんから連絡はなかった。最後に聞いた「うわあ」というエノモトさんの声が何回でも耳によみがえった。あれは何の声だったのか。わたしはいつもと変わりなく会社に行き家に帰り食事をとり眠った。会社に行き家に帰り食事をとり人魚を眺め眠った。会社に行き家に帰り食事をとり人魚を眺め人魚のそばになるべく長く座り眠った。会社に行き家に帰り食事をとり人魚を眺め人魚のそばになるべく長く座り人魚と共に眠った。

いつの間にか、わたしはエノモトさんと同じ状態になっていた。エノモトさんは夜眠るときには人魚から離れたと言っていたが、たぶん嘘だった。食事をとるのだって、きっと浴室の中だったにちがいない。食事の支度をする時間が惜しくて、できあいのものをわたしは買うようになった。掃除をしないので、部屋の中がほこりっぽくなってきた。カーテンもろくにあけず、洗濯もめったにせず、ただ浴室の中にいつづけた。椅子や毛布や食器を持ち込んで、浴室で暮らした。外に出ているときの記憶があまりなかった。誰と喋っても面白くなかった。電話が鳴っても出なかった。ただ、人魚だけを眺めて暮らした。これではいけないとときどき思ったが、すぐに思わなくなった。誰とも喋りたくなかったが、エノモトさんとだけは僅かに喋りたいような気がした。人魚が浴槽の中を泳ぐのを眺め、そのまま眠り、朝になるとふらふらと会社に行った。これではいけないと思う回数は次第に減っていった。エノモトさんが来たのは、これではいけないとぜんぜん思わなくなったころだった。人魚を預かってからたったの一週間後だった。

どしどし、と叩く音がした。ベルなど押さずに、直接扉を強く叩いてくる。ほうっておいても、止まない。しばらく浴室で息をひそめていたが、あまり長く続くので、浴室から出た。インターフォンで、どなたですか、と聞いた。扉を叩く音は止み、「エノモトです」という声がした。

扉を開けると、エノモトさんが立っていた。

どうしたの、と言ったわたしの目は、おそらく人魚を預けに来て浴室から出なくなったときのエノモトさんの光のない目と同じだったことだろう。

どうしたの。

「人魚を取りに来た」

どうして。

「どうしてって、もともと預けただけだったし」

まだ、いいじゃないの。

まだ、と言いながら、わたしは後じさっていた。お茶でもいれましょう、と言いながら、足は浴室に向かっていた。エノモトさんは見のがさず、わたしの前に立ちはだかった。

「車、借りて来たから」エノモトさんが言った。

え、車？

「海に帰す」

そう言い放ち、エノモトさんはわたしを押しのけて浴室に入った。人魚を水の中から抱きあげ、いつの間に手にしていたのか、黒い大きなビニール袋に入れた。だめ。だめよ。わたしは叫んでいた。袋をエノモトさんから取り返そうとした。しかしエノモトさんの力は強い。

「黒いから中が見えない。見なければ、いくらかいい。ぼくだって長くそばにいればまた元に戻ってしまうから。急ぐよ」エノモトさんは早口で言いながら、片手でわたしの手を引き、片手で人魚の入った袋をさげ、エレベーターに乗りこんだ。見たことのない緑色の車が道の端に停めてある。トランクに人魚の袋をしまい、エノモトさんはエンジンをかけた。

トランクなんかに入れたら、かわいそうじゃない。わたしが言うと、エノモトさんは、んに車が走り始めた。

「すぐに着くから大丈夫」と言った。

だめ。やめてよ。だめよ。エノモトさんの腕をひっぱりながらわたしが言ったとた

「腕、ひっぱると事故しちゃうよ。ちゃんとシートベルト締めて」エノモトさんにてきぱきと言われ、わたしはいやいやシートベルトを締めた。そのまま、海まで走った。

どこの海岸なのか、海岸沿いの土手には桜の並木があった。風はほとんどないのに、花びらがひっきりなしに散る。葉桜になっている木もあった。エノモトさんは人魚の入った袋を持ち、早足で波打ち際に向かう。うららかな日だった。鷗が河口から何羽も飛んでくる。日の光はさほど強くないのだが、海面がいやにまぶしい。海岸に人影はない。長く波に洗われたらしく輪郭のあいまいになった貝がいくつも落ちている。波の音を聞いていると、眠くなってくる。せっぱつまっているのに、眠くなる。

エノモトさんは決然とした足どりで歩いてゆく。

エノモトさん。呼びかけたが、振り向かない。

エノモトさーん。声を波に消されないように大きく呼びかけるが、そのまま歩いて

いってしまう。

水際で、エノモトさんは袋を下ろした。ていねいに口を開く。開いたとたんに水が砂浜に漏れ出る。水はそのまま砂に吸いこまれた。

帰すの、ほんとうに。エノモトさんのそばに走り寄って、わたしは泣きそうになりながら言った。

「帰す」エノモトさんは言った。しかし、その声はさきほど来の声よりも少し弱々しかった。

やめようよ。わたしが言うと、エノモトさんは目をしばたいた。

「やめない」もっと弱々しい声である。

いいじゃない、別に悪いことしてるんじゃないし。わたしは誘う口調で言った。自分のどこからこんな声が出るのかわからなかった。

「まあそうだが」エノモトさんのまなざしが落ちつかない。

よく晴れてるし、このまま散歩して帰ろう。人魚も一緒に。甘い声だった。自分の声ではないみたいだった。いけない、こんな声を出してはいけない、と思ったが、やめられない。

「そうかもしれない」エノモトさんは催眠術にかかったみたいにぼんやりとした口調になっている。

いけない、いけない。そう思うのだが、声にならない。人魚は帰さなければいけない。そう言おうとするのだが、声が出ない。人魚は砂に横たわっている。からだ全体を砂にあずけるようにして、ぐったりと横たわっている。何を言うわけでもなく、どんな動作をするわけでもなく、しかしその人魚からわたしたちは離れられない。

「帰す」エノモトさんが絞りだすような声で言った。口を開くとさきほどの甘い声が出てしまいそうなので、わたしは懸命に歯をくいしばった。

無言で、エノモトさんと一緒に人魚をかかえ、水の中に入った。靴が濡れたが、かまっていられなかった。エノモトさんが尾ひれをつかみ、わたしは脇に両手をさし入れ、二人して人魚をかかえた。膝より上が水に漬かるあたりで、エノモトさんは、

「ここらにしよう」と言った。

「せえの」とエノモトさんは掛け声をかけた。こんなときに悠長な声を、と思ったが、何回エノモトさんが「せえの」と言っても、二人の手は人魚から離れないのだった。

むつかしいわよ。わたしが言うと、エノモトさんは少し笑った。エノモトさんの笑いを見て、人魚を離せそうな気がした。

せえの、と、今度はわたしが言い、ついに人魚を海に放り投げた。虹色のうろこをきらめかせながら、人魚はとぽんと波間に沈み、そのまましばらく姿を見せない。

帰したね。そうエノモトさんに向かって言ったとたん、人魚がわたしたちの間にぽっかりと顔を出した。驚いて海中に尻餅をついた。肩まで水に漬かり、服も何もかもがびしょ濡れになった。

人魚は、しばらくわたしの顔を見ていた。エノモトさんのほうは見ない。わたしだけを見ている。こんなに人魚の顔を真近で見たのは、初めてだった。白磁に切れ込みを入れたような目がわたしをじっと見ている。

やっぱり離れられない、とわたしは知らずに言おうとしていた。

離れられない。

その刹那、人魚が口を開いた。赤く薄いくちびるを開いた。

「離さない」

人魚は言った。

はっきりと響く声で、人魚は言った。

わたしの顔を見据えて、人魚は言った。

エノモトさんがいつか出した、うわあ、という声が、わたしの口からもれ出た。

うわあ、と言いながら、わたしは海岸に向かって走った。水の抵抗があるうえに、服も濡れているので、思うような速さで走れない。夢の中で走っているような感じだった。エノモトさんがわたしの手を引いてくれている。なにがなんだかわからぬまま、めくらめっぽうに走っていた。ようやく浜に上がって荒い息を吐いていると、もう一度背後から、

「離さない」

という声が聞こえた。

耳をふさぎ、砂に顔をうずめた。

どのくらいそうやっていただろうか、顔をあげるとエノモトさんが目の前にしゃがんでいて、わたしの体には毛布がかけられてあった。

人魚はいつの間にか去っていた。沖に漁船が見える。

桜が、海岸にまで飛んできていた。砂の上に、花びらがうすく積もっていた。淡雪

のようだった。濡れたわたしの髪にも、服にも、桜の花びらがついていた。しばらく散る桜を眺めていた。エノモトさんと一緒にしゃがんで、降りそそいでくる桜の花びらを、眺めていた。

翌日からしばらく高熱を出して、体調がようやく元に戻ったころには、桜はすっかり散っていた。エノモトさんに電話をして、礼を言った。

「おいしいコーヒーいれますよ」とエノモトさんが言うので、階段をのぼってエノモトさんの部屋に行った。葉桜になった桜の木のてっぺんが、エノモトさんの部屋の窓から見えた。

「これからの季節はね、葉が出そろって、鳥がよく来るようになるよ」コーヒーをいれながら、エノモトさんが言った。

鳥か。鳥はいいな。わたしがぼんやりと答えると、エノモトさんは笑った。

「人魚よりはいいよね」そう言って、笑った。

人魚、なんだったんだろう。つぶやくと、エノモトさんは真面目な顔をして、

「魅入られたね」と答えた。

エノモトさん、どうして人魚を帰すことができたの。聞くと、エノモトさんは、「きみだって、最後は帰せたじゃない」と答えた。

風が吹いて、桜の枝が揺れた。海岸で見た桜を思い出した。人魚のすがたかたちも、人魚から離れたくないという気持ちも、はっきりとは思い出せなかった。桜が散る様子ばかりを克明に覚えているのだった。

エノモトさんも、人魚にあの言葉言われた？　と聞くと、エノモトさんは頷いた。

「きみの部屋に人魚を預けに行って、浴室に閉じこもっていた、あのときに、言われた」エノモトさんは静かな声で言った。

わたしたちはしばらく黙ってコーヒーをすすった。

「ずっと離さないでいるだけの強さがぼくにはなかったのかな」やがて、エノモトさんはしみじみした口調で言った。

それはわたしもそうだったのかもしれない。ひっそりと答え、わたしは窓の外に視線を向けた。

うすみどりの若葉が、どの木からも芽吹いていた。風が新緑を揺らしていた。わたしたちはいつまでもそれぞれに窓の外を眺めていた。

草上の昼食

くまにさそわれて、ひさしぶりに散歩に出る。

くまにはあいかわらず名前がない。

そろそろ何か名のったら、と言っても、頑固に、

「くまでいいです」と言いつづける。

くまは少し太ったように見えた。太ったのではなく成長したのかもしれない。息が

以前よりも荒くなり、胴や胸まわりの毛並みが密になった。

「先日少し里帰りしました」歩きながらくまが言った。

お里、どこなの。聞くと、くまは、

「北の方です」とだけ答えた。

電車で、それとも飛行機で？　重ねて聞くと、

「車です、ともだちに譲ってもらったセコハンですがね」と、少しばかり得意そうな様子になる。くまが案内してくれるというので、初めて通る道を歩いていた。道沿いには民家が並んでいたが、そのうちに家は少なくなりかわりに空き地や林が増えた。

車、運転できたんだ。わたしが言うと、くまは一瞬黙った。

運転、上手そうだわね、そういえば。くまが気を悪くしたかと思いあわてて続けると、くまは笑顔になり、

「無事故無違反ですよ、これで」と言った。くまは少し足を早めた。そっと表情を窺ったが、何も思っていないように見えた。何も思わず少し上を向き加減でのしのしと歩いているように見えた。

燕が低いところを飛んでいる。空気に湿った匂いが混じっていた。

雨、降るかな。くまに言うと、くまはふんふん匂いをかいでから、

「日中はもつでしょう」と答えた。くまは提げている大きなバスケットと水筒をかかえなおし、空を見上げた。

ベランダのプランターで育てているイタリアンパセリの鉢にどこからかナズナの種

が飛んできて混じって生えるので困るという話や、車を買おうかバイクを買おうか迷ったすえ中古車売買の雑誌を見ていくつかの店に電話したが、くまだとわかるとどの店も態度がひややかになったという話などを、くまはのんびりとした口調で語った。以前一緒に行った川原とは反対の方角に向かっている。お弁当は何なのかな、訊ねるともなく訊ねると、くまは目を大きくみひらいて、

「着いてからのお楽しみ」と答えた。そのままなんとなく両方で黙りこんだ。鳥の声を聞きながら歩いた。雲雀《ひばり》が、飛びながら高い声で鳴いている。鋭い角度で空にのぼっては下りてくる。

三十分ほども歩いたろうか、しばらく畑が続いた後に、錆びた金網に囲まれた草原があらわれた。クローバがいちめんに繁っている。あちらこちらにたんぽぽがかたまって生え、すかんぽやきんぽうげもところどころに見える。金網はおおかたの部分が朽ちて崩れていた。くまは崩れて低くなっているところをひょいとまたいで、草原に踏みいった。

こんな場所があるの、知らなかったなあ。くまの後に従いながら言うと、

「穴場、って言うんですか」と、くまはさりげなく答えた。

草原の真ん中あたりまで行くと、くまはバスケットの中から敷物を取り出して広げた。空色と白のごばん縞の敷物で、空色の部分はもうずいぶんと褪せている。しわやたるみができないよう注意深く広げ、上に食べ物を並べた。

鮭のソテーオランデーズソースかけ。なすとズッキーニのフライ。いんげんのアンチョビあえ。赤ピーマンのロースト。ニョッキ。ペンネのカリフラワーソース。いちごのバルサミコ酢かけ。ラム酒のケーキ。オープンアップルパイ。バスケットから取り出して並べながら、くまはひとつひとつの料理の名前を言っていった。

しゃれてるね、と言うと、くまはちょっと横を向き、おほんと咳払いした。

「赤ワインもあります。バルバレスコです」言いながら、バスケットの底から瓶を一本出す。

なに、そのバなんとかって。笑いながら聞くと、くまは笑わずに真面目に、

「店の人に勧められまして。値段の割にいけるそうです」と答えた。

てこの原理で開くようになっているワイン開けでコルクをていねいに抜き、地面の安定のよさそうな場所にワインの瓶を立て、プラスチックのコップと皿とスプンとフォークを並べ終えると、くまはほっとため息をついた。

大ごちそうね、と言うと、くまはまたちょっと横を向き、それから空を眺め上げた。

「たいしたものじゃないんですが。喜んでいただければ何よりです」そう言いながら、わたしの前に置いてあるプラスチックのコップにワインをついだ。次に自分のコップに、水筒から白湯をつぐ。

ワイン飲まないの、と聞くと、

「酒はたしなみません、おつきあいできなくて申し訳ない」と答えた。

くまの白湯のコップとわたしのワインのコップを打ちあわせ、食事を始めた。最初わたしもくまも黙りがちだったが、くまが料理の作り方を説明しはじめたころから、次第に口がほぐれてきた。

赤ピーマンが甘いね。

「薄皮を剝くのが少しむつかしいでした」

どうやって剝くの。

「オーブンで十分ほど焼いて、それからすぐに紙袋に入れて蒸らします」

なるほど。

「うまく蒸れるとするする剝けます」

気持ちよさそう。

「気持ちいいです」

お料理はどこで。

「自己流です」

上手。

「今まで何でも自己流でしたから。学校に入るのも難しいですし」

ああ。

くまであるのならなるほど学校には入りにくかったのかもしれない。学校ばかりではない、難儀なことは多かろう。

「このごろ鍼《はり》に行ってるんですよ」ワインをほんの少しコップにたらし、なめるように飲みながらくまが言った。

効く?

「ツボが違うせいでしょうか、期待したよりはどうも」

くまもわたしもせっせと食べた。腹いっぱいになっても、少しずつ食べつづけた。風がかすかに吹いている。綿毛になったたんぽぽが、吹かれて空中に散る。そのまま風に乗って流れ、いくつかはくまの毛についた。

曇っているので日射しは弱いが、ときおり雲が晴れて草原ぜんたいが輝いた。クローバの緑が明るみ、すかんぽやいたどりが風に揺れる。虻《あぶ》が一匹、くまのまわりを飛びまわっている。虻の飛ぶ音を聞いているうちに、眠くなってきた。


「あの」とくまが言った。知らぬうちにうとうとしていたらしい。気がつくと、くまに寄りかかっていた。

「あの。今日はお別れを言いに」

え。びっくりして背筋がのびた。

「故郷に帰ることにしました」

かえる。

「帰ります」

いつごろなの。

「明後日には発ちます」

え。そんなにすぐ。

「それほど家財道具はありませんから、決めたら早いです」

いつ、決めたの。

「里帰りしたときに」

何か、その、あったの。

「特に。ただ、しおどき、というんでしょうか」

潮時、と言いながら、くまはまた空を見上げた。わたしも一緒に見上げた。灰色の雲が速く流れていく。空気は先ほどよりもなお湿っぽくなっていた。

ずっと、帰っちゃうの。

「ずっとです」

こちらには、もう。

「来ません。故郷に、落ちつくつもりです」

遊びにも、来ないの。

「たぶん」

たぶん、と言ってから、くまはわたしの肩を軽く叩いた。

「そんなお顔なさらないで下さい」

そんな顔、と言われ、自分の口が開かれ眉が寄せられていることを知った。あわてていつもの表情に戻そうとするが、顔はこわばったままなかなか直らない。くまはさらにぽんぽんとわたしの背中を叩いた。くまのてのひらは大きく柔らかい。

どのくらい住んだんだっけ、ここに。

「もうずいぶんになりますね。青年期のころからですから」

くまの息が荒い。静かにてのひらを使いながら、荒い息をわたしの顔でないところに向けて吐く。気をつけて抑えていなければ、もっと荒々しい息づかいになってしまうのかもしれない。わたしの顔を避けて首を不自然なかっこうに曲げながら、くまはやさしくてのひらを使いつづけた。ラム酒のケーキのくずが草の上に散っているところに、蟻が集まっていた。大きなくずも小さなくずもへだてなく運んで行く。中くらいの黒蟻と小さな赤蟻が混じりあって、それぞれの巣にケーキのかけらを大事そうに運んで行く。

でも、どうして。

訊ねると、くまはてのひらをわたしの背から離し、足を投げ出した姿勢のままでしばらく沈黙した。蟻が何匹かくまの足を這いのぼっていたが、くまは気がついていないようだった。気がつかないまま、何か考えこんでいる。雲が少し切れ、再び日が射しはじめた。

「結局馴染みきれなかったんでしょう」目を細めて、くまは答えた。

馴染んでいたように思っていたけど。言おうとしたが、言えなかった。ほんの少しなめたワインのせいだろうか、くまの息は荒いだけでなく熱くなっている。

わたしも馴染まないところがある。そう思ったが、それも言えなかった。かんたんに、くらべられるものではないだろう。くまが手づかみで皿の上のいんげんをごっそりと取り、口に放りこんだ。もぐもぐ嚙む。しっかりした音をたてて、くまはいんげんを嚙みくだいた。じっと見ていると、くまははっと気づき、あわてててのひらをタオルでぬぐった。

「失礼、つい手づかみで食べてしまいました。ぼんやりしていまして」

いいのに。いつもしているように食べればいいのに。

「どうもこのごろいけません。合わせられなくなってきて」

合わせることなんてないのに。

「そうでしょうか」

そのままくまは黙り、わたしも黙った。料理はおおかたなくなり、ワインもきれいに空いていた。黄蝶が二匹、ついたり離れたりしながら飛んでいる。腹がいっぱいで苦しかった。ひとつぶ、ふたつぶ、雨が落ちてきた。

降ってきたね。言うと、くまは頷いた。

「夕方までもちませんでしたね」

急いでバスケットに料理の残りをしまい敷物をたたむと、くまは大きな傘をバスケットから取り出した。どこまでも用意のいいくまである。傘を広げ、さしかけてくれる。いやに大きい。よくみれば、傘は折りたたみ式のビーチパラソルだった。かるがると、くまはビーチパラソルをさして立っている。空が真っ暗になり、大粒の雨がぱらぱらとビーチパラソルを叩いた。

「いけませんね。かみなりが来ます」くまはしきりに空気を嗅ぎながら、言った。

「大きいやつだ」

しばらくはかみなりの気配はなかったが、数分後に遠くでごろごろと鳴り始めた。雨はかなり激しく、かみなりは見る間に近づいた。いなびかりがしてから雷鳴がとどろくまでの時間が次第にせばまってゆく。

「落ちるかもしれませんなあ」くまは片手にバスケット片手にパラソルという恰好で、あまり切迫したのでもないような口調で言う。いなびかりと雷鳴はほとんど同時に鳴っていた。空は暗かったが、いなずまが光るたびに景色がくっきりと浮かびあがった。クローバやたんぽぽが、写真に撮ったようにしろじろと浮かびあがった。

「傘は危ないからやめますよ」言うなりくまは傘を地面に放り、体でわたしを包みこむようにして地面にうずくまった。くまのからだはあいかわらず温かくしめっていた。雨のせいではない、くま自身の温かみとしめりけである。くまの息づかいは先ほどよりもおだやかになったように感じられた。

「怖くないですか」くまが静かな声で聞いた。

少し。少しこわい。わたしはくまに包まれながら答えた。声がくぐもった。くまは頷き、さらに強くわたしを包みこんだ。ひときわ大きな雷鳴が響き、わたしは悲鳴をあげた。くまが笑う。

「気持ちいいじゃありませんか」そう言って、くまは笑った。くまの胴体の中でくまの笑いがぼわぼわと共鳴した。雷鳴はますます大きくなる。次の瞬間、いなびかりと雷鳴はまったく同時で、からだ全体にどん、という衝撃が走った。くまごしに、大きな衝撃が走った。近くに落ちたのだろうか。

くまは衝撃が走ると同時にわたしから身を離し、大きな声で吠えた。おおおおお、と吠えた。どんな雷鳴よりも大きな声で、くまは直立して空に向かって吠えていた。びりびりと空気が振動した。雷鳴といなずまの間隔はいくらか開きはじめていた。

くまは何回でも、腹の底から吠えた。こわい、とわたしは思った。かみなりも、くまも、こわかった。くまはわたしのいることをすっかり忘れたように、神々しいような様子で、獣の声をあげつづけた。


熊の神様って、どんな神様なの。

かみなりがおさまると、雨もじきに止んだ。くまはあたりに散らばっていたバスケットや水筒を拾い集め、泥汚れをタオルで大ざっぱに拭きとり、ぶるぶると体を揺らして水を切った。水滴が飛び散る。わたしも真似をして体をゆすってみたが、くまのようにうまくはまき散らせない。ひとしきり共に水をはねかせた後に、わたしはくまに聞いたのであった。

「熊の神様はね、熊に似たものですよ」くまは少しずつ目を閉じながら答えた。

なるほど。

「人の神様は人に似たものでしょう」

そうね。

「人と熊は違うものなんですね」目を閉じきると、くまはそっと言った。

違うのね、きっと。くまの吠える声を思い出しながら、わたしもそっと言った。

「故郷に帰ったら、手紙書きます」くまはやわらかく目を閉じたまま、わたしの背をぽんぽんと叩いた。

書いてね。待ってる。

それ以上何も言わずに、くまとわたしは草原に立っていた。日が傾きかけていた。夕日が大きい。低い雲は風に飛ばされ、高いところに掃いたような雲が流れている。くまもわたしも彼方を眺めていた。いつかくまに抱擁されたときのことを思い出していた。あのときの抱擁は、おずおずとした抱擁だった。

帰っちゃうのね。彼方を向いたまま言うと、

「さようなら」くまも彼方を向いたまま言った。

さよなら。今日はおいしかった。熊の世界で一番の料理上手だと思う。手紙、待っ

てるからね。

くまはこのたびは抱擁しなかった。わずかに離れて並んだまま、くまとわたしはずっと夕日を眺めていた。

くまから手紙が届いたのは夏になったころだったか。蟬がやたらに鳴いていて、木は息苦しいほどに生い茂っていた。

拝啓

今年は例年にない暑さとか。いかがおしのぎですか。

故郷に帰ってすでに二ヶ月が過ぎました。

ご無沙汰心苦しく思っております。

商売でも始めようかと考えておりましたが、毎日魚を採ったり草を刈ったりしているうちに、いつの間にか時間がたってしまいます。

こちらでは毎日が早いのです。

そちらで身についた習慣もだんだんに忘れます。

楽しく暮らしております。

料理もしなくなりました。しなくなると、どうやってあのようなことができたのだか不思議になります。

ときどき夢を見ます。

貴方さまと草原に寝ころんで魚の皮などをゆっくりかじっている夢です。

貴方さまもどうぞお元気で。

夏風邪などお召しになりませぬようお祈り申し上げております。

敬具

封筒を裏返してみても、差出人の名前と住所は書かれておらず、消印はこすれて読みとれなかった。

手紙と一緒に折りたたまれた一枚の絵が同封されていた。最初何が描いてあるのかよくわからなかったが、じっと見ているうちに、くまとわたしが寝そべっている絵であるらしいことがわかった。くまとわたしの上に、魚が浮かんでいる。魚は、ほんとうのことをいえば葉っぱにしか見えない。鉛筆ではなく、消し炭か何かで描いたのだろう、線がこすれている。

ずいぶんきちんとした手紙だと感心しながら、三回繰り返して読んだ。三回目には泣きそうになったが、泣かなかった。

夜になって寝床の中でもう一度文面を思い出し、少しだけ泣いた。赤ピーマンのローストなんかじゃなく、魚の皮をそのまま持ってくればよかったのに。そうつぶやきながら、少し泣いた。

雨があがった後の、草原のクローバや土の匂いを思い出しながら、少し泣いた。泣き終えてから、机に向かって返事を書いた。


お手紙ありがとう。

またいつか草原にピクニックに行きましょう。

オープンアップルパイの作りかた、そのうちに教えてください。

お元気で。


何回書き直しても、くまのようなきちんとした手紙にならなかった。最後まで名前のないくまだったと思いながら、宛先が空白になっている封筒に返事をたたんで入れ、切手をきちんと貼り、裏に自分の名前と住所を書いてから、机の奥にしまった。

寝床で、眠りに入る前に熊の神様にお祈りをした。人の神様にも少しお祈りをした。ずっと机の奥にしまわれているだろうくま宛の手紙のことを思いながら、深い眠りに入っていった。

あとがき

　表題作『神様』は、生まれて初めて活字になった小説である。「パスカル短篇文学新人賞」という、パソコン通信上で応募・選考を行う文学賞を受賞し、「GQ」という雑誌に掲載された。

　子供が小さくて日々あたふたしていた頃、ふと「書きたい、何か書きたい」と思い、二時間ほどで一気に書き上げた話だった。

　書いている最中も、子供らはみちみちと取りついてきて往生したし、言葉だって文章だってなかなかうまく出てこなかった。でも、書きながら、「書くことって楽しいことであるよなあ」としみじみ思ったのだ。「めんどくさいけど、楽しいものだよなあ、ほんとにまあ」と思ったのだ。

　あのときの「ほんとにまあ」という感じを甦らせたくて、以来ずっと小説を書いているように思う。
もしあのとき『神様』を書かなければ、今ごろは違う場所で違う生活をしていたかもしれない。不思議なことである。
やはりこれも、何かの「縁《えにし》」なのだろう。と、『神様』に登場する「くま」を真似て、わたしもつぶやいてみようか。

短い話なので、単行本に収録するのは難しいと思っていたが、中央公論社の平林敏男さんと横田朋音さんのおかげで、「マリ・クレール」誌にシリーズ連載させて頂き、こうして本になった。深く感謝申し上げる。

一九九八年八月　　　　　　　　　　川上弘美

解　説

佐野洋子

無意識というものを発見したのはフロイトという学者だそうである。私は発見ではなく発明なのではないかと疑うのであるが、ド素人でも「ムイシキ、ムイシキ」と平気で使用する。心理学者や学問のある人達は「意識下」などとさらに格が一つ上の様に表現する事もありド素人の私はさすがに「意識下」などということばを口にすると居心地が悪い。しかし、ムイシキということばの方は、各戸に水道が設置されて、必要に応じて蛇口をひねると水が放出するように、各人に用意されていて、ちょっとした事、例えば、冷蔵庫の中にひょいとキューリと一緒に財布をボーッと入れ忘れたりすると、「無意識だったのヨ」と弁解するか、「呆けたらしい」と謙遜するかしているが、正確にはボーッと不注意であったか、だらしない性格であるか、心ここにあらず邪《よこしま》の事に頭が行っちまっているにすぎない。あるいは本当に痴呆が始まっているのかも知れぬ。一番困るのはけんかなどした時である。「私はそんな事決して考えていない」と主張しても「あなたの無意識の願望が出て来たのよ」と言われると、手も足も口も出なくなり、心の中で「ヒキョウモノ」と叫ぶしかない。無意識はさらに口の達者なものにかかると私なんぞ、イジメにあった小学生みたいに涙ぐんだりしてしまう。「あなたは、無意識に長女であるという特権で、常に人を押さえつけようとしている」「あなたは、無意識に自分の容貌のコンプレックスを美人に対する攻撃に使う」「あなただって、男に無意識にコビてるじゃない。おまけに根性が曲がっているから、気のある男をイビるという表現になるのよネ」

あたしゃあずかり知らぬ事だと言いたいが、何しろこっちは意識の無い死人みたいなのだから、ヒ、ヒ、ヒキョウモノと涙をのむか、ばかに物わかり良く、「あーそうだったのか」「へーそうでしたか、私の気のつかぬ事を教えていただいてありがたい」と頭をたれるのである。

その上私だって、「ムイシキ」を武器として人をきめつける道具に非常に度々使用している。フロイトが発見する何千年も前から、ものがなくなれば「神かくし」などと言って、キューリはおろか人間が失踪したりかどわかされたりしても「天狗にさらわれた」か精神疾患に関しては「もののけ」がとりついたとして加持祈禱を行っていたのである。私はその方がよかったなどと言っているのではない。無意識の発見は人間のこの世に対する視線を変え、自分への認識も大きく変え、共同体を変え、社会を変えた大変なことだったと思っている。

しかし、心の中の中の事は解剖分析が不可能な広大な宇宙なのであるとは思っている。

私の知識は本当に無いも同然であるから不正確この上ないと思うが、無意識の発見は「夢」という不思議なものから始まったらしい。

やはりフロイトとはすごいと思わなくてはいけないのだろうか。私達は皆夢を見る。不思議な面妖なことである。私は夢の中でいつもあっと驚く。

目が覚めている時「あっ」と驚くことは望んでもそうそうぶちあたる事はない。しかし「あっ」と驚きたくて映画なんぞの夢の代用品に金を払ったりする。私の夢なぞ、そのスケールと言い、意外性と言い、絢爛豪華さと言い、その支離滅裂さと言い、夢の様であるが、これは私に能力があるからではなく、運がよければ眠りにつくと現れ、運が良ければ自分の尻が桃になり、むき出しの桃のまま空をあっちこっちとびまわり気がつくと、私の桃になった尻が巨大な青々とした栗のいがにとてつもないスピードで落下してゆく。そしてその直前に恐怖のために目が覚める。(別に運が良くないか。)運が悪ければ、人を殺してバラバラにし黒いビニール袋につめて、リアカーで運び一晩中暗い野原をうろつき回り疲労で目が覚める。そして、夢の脚本の変更は出来ないので、あーあーあーと思っているだけである。夢とはそういうものと思っていたら女優のキョウ子さんは「見たい、見よう」と思う夢が見られるそうなのである。そういう時は自分で寝る前からわかるそうである。その上昨日の夢の続きを「見よう」と思えば見られるそうである。私は人が錦の衣を着ていても羨ましくないが、キョウ子さんの夢に対する支配力は心底羨ましかった。

しかしもっともっと凄い人が出現した。

川上弘美さんである。ナマの川上さんは知らないので、川上さんの作品である。私はもうお婆さんだから、若い人の小説は読まない。たいがいは、やたらパカパカ男と女が寝て、寝ればこの世の地獄になるはずが、このごろの若い人は地獄が嫌いらしくて、パカパカ寝てもすーっと地獄をさけて、サラサラ流れる春の小川の上澄みみたいなきれいな心持ちを持っているのか、行方不明になった恋人が帰って来ても主人公の男は「それはよかった」の一言で終ったりする。よくないだろが、本当は言葉なんかそうすらすら出んだろが、嬉しさ口惜しさひっからまったあまりトンチンカンのことを言ったりやったりしないのか、急に掃除機持ち出すとかさ。と思うのはお婆さんになってしまったのだろうかと思うのが嫌だからである。

川上さんの本は読んだことがなかった。「神様」の一行目を読んで「あ、これは夢だ」と思った。面白くて面白くてやめられなかった。私は初めの一行から笑ってしまった。

「くまにさそわれて散歩に出る」。笑う。楽しいではないか、人の夢を自分の夢みたいに感じて読んでいる間中アハハアハハと笑っていた。

壺の中から「ご主人さまあ」と若い女が出てくるとアハハアハハと笑ってしまう。どこでも夢の中の感じが、自分が夢見ているのと同じなのである。

同じ夢はキョウ子さんでないから一度しか見られないが、本だからちゃんと証拠の文字で印刷してあるので、くり返し夢を見られる。

夢がある場所はどこか知らない。意識下と言うのなら、どっか下の方なのか、下っていっても体の下か脳の奥か、地球の中心あたりかわからない。夢から覚めた時は、どっか上の方から夢が降って来たような気がするし、私の責任ではない気がする。沼の中からあわみたいにわいて来たような気もする。しかしどこか場所があるにちがいない。きれいな夢は天から降って来るようだし、悪夢は暗いところからわいて来るような気がする。

川上さんは、どっかで、入り口をみつけて平気でトコトコそこに行ける人なのだ。行って、ずっと好きなだけ遊んで、好きな時に帰って来る。どっかり遊んでいるから細部なんかしっかり見て、しっかり見ると夢はこんな風に笑えるのだろう。細部はしっかりあっても夢の中のものは肉体がない。見ている時はある様な気がするが、肉体がないと本当には苦しくない。私達の夢は一方的に降って来るからただただ受身であるが、川上さんはペンでもってその一つの夢のストーリーを支配出来る。異空間も異時間も彫刻家がのみで彫り上げる様に仕上げる。私はこういう小説家を知らないし、こういう小説も初めてである。

人間の入れ物は一メートルから二メートル位の大きさで、ゴジラの様にでかくはない。

体を切り開いても肉と内臓と骨ばかりである。そして、どこに心といおうか魂というものが住みついているのか目には見えない。

外界は果てしなく無限に宇宙へと広がっている。うちの周りのことだって碌に知りはしないまま死ぬのである。しかし、一人の人間の内界も又、果てしない宇宙である。外界の宇宙と全く同じく広く深く果てしない。体の中におさまっているなどというものではなく心の中にも何万光年の時間が生き、いくつものアンドロメダ星雲を持つのであると私は思う。しかしそこも碌に知りもしないで死ぬのである。

フロイトの天才が無意識を発見したのは流れ星を「あっ、流れ星は隕石が落っこって来るんだ」と気がついた位のことかも知れない。

夢が発生する魂の場所にスタスタ平気で行って、いつまでも遊んだり、さっさと帰って来たりする川上さんは、ペンで、私達に自分の見ない夢を見せてくれて、私は実に得した気分になる。

私は人の夢を見たいといつも思っていた。かなわぬ願望が川上さんの小説を読むことで果された。

その上、自分の夢の細部を川上さんが完成させてくれる。びっくりして目が覚めて結末が無くなってベッドの上で呆然としている私は、いつか見た夢をいくつも思い出す。例えば、白いライオンが川を渡って土手で坐っている私の横に坐って並んで川を見ていた。私はどきどき嬉しくて銀色に光るライオンの毛をチラチラ横目で見て、どうもそのライオンは私のことを好きらしく、風なんかも吹いているので、とても気持ちいいなあと思っていると「腹へったよう」という子供の声でこの世にもどって来てしまったが、川上さんなら悠々と、あの白いライオンといつまでも遊んで、いろんな事するなあ、一緒に住んだり、そしてライオンが恥ずかしがり屋だったりして、私は夢の白いライオンに川上さんちに遊びに行っておいでと言う。ちがう時、私は大きな男の友達を横がかえにして西洋の坂道を何故か必死に走っていると気がつくとそれは鉄になって赤くさび始め、見る見るうちに私はさびた巨大なペニスをかかえていた。

こんな夢を人に話してフロイトの夢の分析をやられたら、きっと色気狂いの女にされてしまうだろうし、私の無意識はいやらしいものでびっしりつまっているみたいに思われるのが嫌で、無意識無意識っていうことばが、私は嫌いなのである。人は楽しかったり、恐ろしかったりする夢を見られるから安心して生きていけるのだから、偉い人が川上さんの小説を「若い女性の無意識の世界を描いた才能に脱帽する」などとどっかに書かれると、サハラ砂漠の砂をハンカチにつつんで、これがサハラ砂漠だと言われる様でムッとした。

私の夢の中のさびた巨大なペニスも川上さんちに遊びに行かせよう。

（絵本作家）

『神様』一九九八年九月　中央公論社刊

中公文庫

神《かみ》 様《さま》

2001年10月25日　初版発行
2024年10月5日　29刷発行

著　者　川《かわ》上《かみ》 弘《ひろ》美《み》

発行者　安部 順一

発行所　中央公論新社
〒100-8152　東京都千代田区大手町1-7-1
電話　販売 03-5299-1730　編集 03-5299-1890
URL https://www.chuko.co.jp/

印　刷　三晃印刷
製　本　小泉製本

Published by CHUOKORON-SHINSHA, INC.
Printed in Japan　ISBN978-4-12-203905-6 C1193

定価はカバーに表示してあります。落丁本・乱丁本はお手数ですが小社販売部宛お送り下さい。送料小社負担にてお取り替えいたします。

各書目の下段の数字はISBNコードです。978－4－12が省略してあります。

中公文庫既刊より

か-57-1
物語が、始まる
川上弘美
砂場で拾った〈雛型〉との不思議なラブ・ストーリーを描く表題作ほか、奇妙で、ユーモラスで、どこか哀しい四つの幻想譚。芥川賞作家の処女短篇集。
203495-2

か-57-3
あるようなないような
川上弘美
うつろいゆく季節の匂いが呼びさます懐かしい情景、ゆるやかに紡がれるうつつと幻のあわいの世界。じんわりとおかしみ漂う味わい深い第一エッセイ集。
204105-9

か-57-4
光ってみえるもの、あれは
川上弘美
いつだって〈ふつう〉なのに、なんだか不自由……。生きることへの小さな違和感を抱えた、江戸翠、十六歳の夏。みずみずしい青春と家族の物語。
204759-4

か-57-5
夜の公園
川上弘美
わたしいま、しあわせなのかな。寄り添っているのに、届かないのはなぜ。たゆたい、変わりゆく男女の関係をそれぞれの視点で描き、恋愛の現実に深く分け入る長篇。
205137-9

か-57-6
これでよろしくて？
川上弘美
主婦の菜月は女たちの奇妙な会合に誘われて……夫婦、嫁姑、同僚。人との関わりに戸惑いを覚える貴女に好適。コミカルで奥深いガールズトーク小説。
205703-6

お-51-1
シュガータイム
小川洋子
わたしは奇妙な日記をつけ始めた――とめどない食欲に憑かれた女子学生のスタティックな日常、青春最後の日々を流れる透明な時間をデリケートに描く。
202086-3

お-51-2
寡黙な死骸 みだらな弔い
小川洋子
鞄職人は心臓を採寸し、内科医の白衣から秘密がこぼれ落ちる…時計塔のある街で紡がれる密やかで残酷な弔いの儀式。清冽な迷宮へと誘う連作短篇集。
204178-3

お-51-3
余白の愛
小川洋子
耳を病んだわたしの前に現れた速記者Y、その特別な指に惹かれたわたしが彼に求めたものは。記憶と現実の危ういはざまを行き来する、美しく幻想的な長編。
204379-4

お-51-5
ミーナの行進
小川洋子
美しくて、かよわくて、本を愛したミーナ。あなたとの思い出は、損なわれることがない——懐かしい時代に育まれた、ふたりの少女と、家族の物語。谷崎潤一郎賞受賞作。
205158-4

お-51-6
人質の朗読会
小川洋子
慎み深い拍手で始まる朗読会。耳を澄ませるのは人質たちと見張り役の犯人、そして……。しみじみと深く胸を打つ、祈りにも似た小説世界。〈解説〉佐藤隆太
205912-2

お-51-8
完璧な病室
小川洋子
病に冒された弟と姉との時間を描く表題作他、デビュー短篇を含む最初期の四作収録。みずみずしい輝きを放ち、作家小川洋子の出現を告げる作品集。新装改版。
207319-7

か-61-1
愛してるなんていうわけないだろ
角田光代
時間を気にせず靴を履き、いつでも自由な夜の中に飛び出していけるよう…好きな人のもとへ、タクシーをぶっ飛ばすのだ！　エッセイデビュー作の復刊。
203611-6

か-61-2
夜をゆく飛行機
角田光代
谷島酒店の四女里々子には「ぴょん吉」と名付けた弟がいて……うとましいけれど憎めない、古ぼけてるから懐かしい家族の日々を温かに描く長篇小説。
205146-1

か-61-3
八日目の蟬《せみ》
角田光代
逃げて、逃げて、逃げのびたら、私はあなたの母になれるだろうか……。心ゆさぶるラストまで息もつがせぬ傑作長編。第二回中央公論文芸賞受賞作。〈解説〉池澤夏樹
205425-7

か-61-4
月と雷
角田光代
幼い頃暮らしをともにした見知らぬ女と男の子。再び現れたふたりを前に、泰子の今のしあわせが揺らいで……偶然がもたらす人生の変転を描く長編小説。
206120-0